101 ideias criativas para

Professores

Edição revisada e atualizada

David Merkh • Paulo França (*In Memoriam*)

UNITED PRESS
um selo editorial hagnos

© 2002 por David J. Merkh e
Paulo França

Revisão
João Guimarães
David Merkh
Priscila Porcher

Capa
Maquinaria Studio

Diagramação
Sonia Peticov

Editor
Juan Carlos Martinez

Coordenador de produção
Mauro W. Terrengui

2ª edição — Janeiro de 2015

Impressão e acabamento
Imprensa da Fé

Todos os direitos desta edição reservados à
EDITORA HAGNOS
Av. Jacinto Júlio, 27
São Paulo - SP - 04815-160 Tel/Fax: (11) 5668-5668
hagnos@hagnos.com.br - www.hagnos.com.br

Dados Internacionais de Catalogação na Publicação (CIP)
(Câmara Brasileira do Livro, SP, Brasil)

Merkh, David J.

101 ideias criativas para professores / David J. Merkh e Paulo França. — São Paulo: Hagnos, 2014. — (série: 101 ideias criativas)

ISBN 85-88234-52-1

1. Criatividade (Educação) 2. Sala de aula — Direção I. França, Paulo II. Título III. Série.

12–3007   CDD–371.3

Índice para catálogo sistemático:

1. Criatividade: Aplicação em sala de aula: Educação   371.3

Editora associada à:

Respeite o direito autoral

Queremos dedicar este trabalho a dois colegas, amigos, mentores e mestres: pr. Daniel Lima e profa. Vera Brock, que nos têm incentivado à excelência no ensino.

Sobre os autores

David Merkh, casado com Carol Sue desde 1982, tem mestrado em Antigo Testamento e doutorado em Educação Cristã (ênfase familiar) pelo Seminário Teológico de Dallas, nos EUA. Desde sua chegada ao Brasil, em 1987, David tem lecionado no Seminário Bíblico Palavra da Vida. Ele é pastor de exposição bíblica na Primeira Igreja Batista de Atibaia, SP. David e Carol têm seis filhos e dez netos.

Paulo França faleceu em 2014 enquanto reitor do Seminário Bíblico Palavra da Vida, onde lecionava várias matérias. Era presbítero da Igreja Evangélica de Maracanã, Atibaia, SP. Obteve seu bacharelado em Educação Cristã pelo Seminário Bíblico Palavra da Vida e fez mestrado em História da Igreja na Universidade Mackenzie. Paulo ministrava em cursos de treinamento de professores ao redor do Brasil. Sua esposa, Sandra, e seus filhos Mateus e Letícia, moram em Atibaia, SP.

Apresentação

David Merkh foi um daqueles raros alunos que entravam na minha sala com fome de aprender. Ele cavava fundo para descobrir a verdade e sempre se expressava com originalidade e criatividade. Eu considerava o seu estudo da Palavra de Deus como incentivo para mim e direcionado pelo Espírito, e tenho grande prazer ao saber que ele e sua esposa Carol Sue têm escrito a série *101 Ideias criativas*. É a minha oração que as perspectivas originais de David continuem a iluminar professores e alunos, pois ele tem muito para dar.

HOWARD G. HENDRICKS
Distinguished Professor and Chairman
Center for Christian Leadership
Dallas Theological Seminary

Tive o prazer de conviver com Paulo França como professor, amigo, orientador e colega de trabalho em uma excelente amizade há muitos anos. Paulo sempre se destacou por ter uma mente questionadora e bastante criativa. Isto, aliado à capacidade de organizar e executar projetos e a um sincero desejo de fazer a diferença para Deus, lhe deu um ministério muito eficaz. Acompanho os demais livros da série *101 Ideias criativas*, e creio que o seu trabalho com David Merkh é uma grande contribuição a professores e educadores cristãos em nosso país. Incentivo o leitor a explorar este livro e assim ser abençoado, como eu tenho sido, pelo ministério e vida de Paulo França.

DANIEL LIMA
Pastor da Igreja Batista da Conde — Porto Alegre, RS

Sumário

INTRODUÇÃO	15
Vantagens do ensino criativo	16
COMO USAR ESTE LIVRO	19

PARTE 1: Princípios para o professor

- O professor sábio: Comunicação com criatividade e caráter — 23
- O professor cristão: Educação verdadeiramente cristã — 28
- O professor criativo: A necessidade de ideias criativas — 34
- O professor organizado: O plano de aula — 39
- O professor aluno: Sugestões práticas para melhorar seu ensino — 45
- O professor apropriado: Os dez mandamentos da criatividade — 48
- O professor "ligado": Características do aluno — 53

PARTE 2: Dicas didáticas e dinâmicas

- Ideias para conhecer a turma — 61
  1. Nome e sobrenome — 61
  2. Bingo dos nomes — 61

3. Caça a autógrafos 62
4. Adivinhe quem é? 64
5. Álbum de fotos 66
6. Apresentações pessoais 66
7. Acendendo o fósforo 66
8. O malsucedido 67
9. Coleta de dados 67
■ Ideias para captações e introduções 69
10. Forca 69
11. Soletrando 70
12. Charadas 71
13. Esquete 72
14. Estudo de caso 73
15. Citações 73
16. Nas paradas de sucesso 74
17. Pré-teste 74
18. "Tempestade cerebral" 75
19. Acertando a ordem 76
20. Na sua opinião... 77
21. Quem é quem? 78
22. Quebra-cabeça 79
23. Fotos ou gravuras 80
24. Votação 81
25. Avaliação crítica 81
26. Histórias infantis 82
27. Oração por missões 82
28. Canto 83
■ Ideias para dinâmicas de ensino 84
DRAMATIZAR 84
29. Dramatização/teatro 84
30. Monólogo 85
31. Jogral 86

32. O que está errado?	88
33. Fantoches	88
34. Fazendo o papel	89
35. Transmissão via rádio (TV)	90
36. Símbolos	90
37. "Peregrinando..."	91
DISCUTIR	92
38. Entrevista (convidado especial)	92
39. Entrevista (personagem bíblico)	92
40. Painel	94
41. Painel de debates	95
42. Fórum	97
43. Debate aberto	98
44. Tribunal	99
45. Mesa-redonda	102
46. Advogado do Diabo	103
47. O que você faria?	104
48. Conversação circular	105
49. Problema/solução	105
ESCREVER	106
50. Provérbio do dia	106
51. Parábolas modernas	106
52. Orações	107
53. Acróstico	107
54. Poesia	108
55. Carta	108
56. Palavras cruzadas	108
57. Diário (personalidade bíblica)	109
58. Paráfrase	109
59. Jornal antigo	110
60. Músicas originais	110
61. Músicas alteradas	111

PESQUISAR 111
  62. Exposição pelos alunos 111
  63. Simpósio 112
  64. Estudo bíblico indutivo 113
  65. Com os olhos e com a boca 114
  66. Caça ao tesouro na biblioteca 116
  67. Resenhas 116
  68. Pesquisa de campo 116
  69. Projetos criativos 117
■ Ideias para audiovisuais 119
  70. Flanelógrafo 119
  71. *Flip chart* 120
  72. Mapas 122
  73. DVDs e videoclipes 123
  74. *Data-show* 125
  75. Quadro-negro ou quadro branco 126
  76. Cartazes 127
  77. Miniapostila 128
  78. Quadro cênico 128
  79. Lições objetivas 129
  80. Exibições 129
  81. Gravações 130
■ Ideias para revisão e recapitulação 131
  82. Cadeiras secretas 131
  83. Autódromo 132
  84. Jogo da velha 134
  85. Batata quente 136
  86. Bingo 137
  87. "*Show* do Milhão" 138
  88. "Perigo" 139
  89. Cochicho 141
  90. Tudo ou nada 142

91. Pergunte você mesmo	143
92. Atingindo o coração	144
93. Esportes de revisão	146
94. Brasão	147
95. Avaliação/provas	148
96. Preparar uma prova	149
97. Agora é a sua vez	149
■ Ideias para controle: Disciplina em classe	150
98. Mudança de ambiente	150
99. Assentos designados	151
100. Oração pelos alunos	152
101. Outras ideias	152
NOTAS	155
APÊNDICES	157
Panorama bíblico	158
Perguntas e respostas sobre a vida eterna	166

Introdução

O grande professor é aquele que transforma os ouvidos dos seus alunos em olhos.[1]

Escrevemos este livro não como teóricos no mundo da didática, mas como professores. Professores praticantes, que vivem dia após dia a urgência de transmitir palavras vivas de uma forma viva. Professores que, talvez mais do que gostaríamos de admitir, sentem a falta DAQUELA ideia certa na hora certa, que transformaria uma aula mental em algo real. Professores que muitas vezes queriam ter um volume como este em suas mãos antes de dar "mais uma aula".

Numa visita recente a uma das maiores livrarias seculares do Brasil, descobrimos mais de três prateleiras inteiras dedicadas ao assunto "Didática". Folheando aquelas centenas de livros, observamos que quase todos tratavam do ensino do ponto de vista acadêmico, teórico, abstrato e profissional. Pouco ou nada se encontrava de ajuda concreta, simples, mas dinâmica, para professores praticantes como nós. E se material didático dessa natureza falta nas prateleiras seculares, o que dizer, então, sobre a carência no mundo evangélico?

Sem cair no pragmatismo, nosso desejo é suprir a falta desse material prático e bíblico para a igreja brasileira e (por que não?) para escolas públicas e particulares em nosso país. Queremos fornecer um catálogo de ideias, não como lista final e exaustiva, mas como estímulo à criatividade do leitor. Somos sonhadores a ponto de pensar que nossa pequena contribuição possa revolucionar o ensino de centenas e, quem sabe, milhares de professores e, por intermédio deles, incontáveis alunos.

Nossa visão vai do berçário e da creche até o seminário bíblico e a universidade; da criança na Escola Bíblica Dominical até o pastor no púlpito. Nosso desejo? Uma transformação do ensino, da mediocridade à excelência, do passivo ao ativo, do enfadonho e letárgico ao energético e legal.

Sonhamos com professores que VIVAM o que ensinam. Que sejam facilitadores da aprendizagem, mais do que fontes de fatos ou conduítes de conteúdo. Que impactem não somente a mente de seus alunos, mas o seu coração e a sua vontade também. Que transformem os ouvidos dos seus alunos em olhos, para que vejam e experimentem a verdade.

Vantagens do ensino criativo
- Segue o modelo de Jesus, dos apóstolos e dos profetas na apresentação da verdade;
- Utiliza o aspecto "criativo" da imagem de Deus no homem;
- Ajuda a gravar a mensagem bíblica;
- Força a atenção aos detalhes do texto;
- Desperta os alunos e o professor;
- Torna a aula agradável, "pontuada" com momentos de maior atenção;
- Cria suspense nos alunos e provoca um senso do imprevisível;
- "Tempera" o "arroz e feijão" do estudo bíblico;

- Ajuda os alunos e o professor a enxergarem detalhes do texto que nunca observaram antes;
- Provoca, através do uso "santificado" da imaginação, um entendimento mais profundo do significado do texto;
- Ajuda a contextualizar a mensagem bíblica (atravessar a ponte entre o texto — "então" — e o contexto — "agora");
- Facilita a sistematização e apresentação do fruto do estudo bíblico;
- Conserva o fruto do estudo bíblico numa forma acessível;
- Estimula a criatividade dos alunos;
- Quebra barreiras entre pessoas quando promove mutualidade;
- Atrai os não crentes ao evangelho;
- Promove divertimento sadio na igreja.

Como usar este livro

Sugerimos alguns usos práticos deste texto:

1. Como catálogo de ideias criativas a ser folheado antes de ministrar sua aula. Depois da primeira leitura, sugerimos que o professor use o Sumário para relembrar algumas técnicas, procurando as ideias mais adequadas para a lição da semana.
2. Como registro de ideias usadas. Para garantir que sua aula continue variada e dinâmica, anote no Sumário deste livro ou na página onde a ideia está explicada a data e o lugar em que ela foi usada. Também anote quaisquer sugestões para o uso da ideia no futuro. Assim, poderá lembrar não somente o que funcionou, mas quando e como.
3. Como estímulo às suas próprias ideias. Juntando as ideias deste livro com SEU conhecimento da SUA realidade de vida e do contexto dos SEUS alunos, NOVAS ideias surgirão. Como Blaise Pascal disse: "Que não seja dito que não falei nada novo; o arranjo do material é novo!"[2]
Anote suas ideias no final do texto, para não serem esquecidas no "corre-corre" da vida.

4. Como currículo de treinamento de professores. Os primeiros capítulos oferecem sugestões para discussão. As ideias que se seguem poderiam ser facilmente explicadas e demonstradas em outros períodos de treinamento.
5. Como presente para o professor de seus filhos, seja na igreja, seja na escola. Que tal presenteá-lo no Dia do Professor com algo mais impactante que perfume ou chocolates? Algo que pode transformar e dinamizar a sua vida e a vida de seus alunos?

Que os princípios para professores e as dicas dinâmicas e didáticas que se seguem enriqueçam seu ensino para o bem de muitas vidas!

Parte 1

Princípios para o professor

O professor sábio
Comunicação com criatividade e caráter

Conta-se a história de três pessoas que viajavam no mesmo avião — um programador de computadores, um jovem escoteiro e um pastor. Em pleno voo, a voz do piloto quebrou o silêncio dizendo que o avião estava caindo. Infelizmente, só havia três paraquedas para quatro pessoas. Foi então que o piloto saiu da cabine, pegou o primeiro paraquedas, e disse: "Tenho uma esposa e três crianças pequenas em casa, e eles precisam de mim", e pulou do avião. Logo em seguida o programador de computadores declarou: "Sou a pessoa mais inteligente do mundo, e eles precisam de mim!" Pegou outro paraquedas e também pulou. Isso deixou somente o jovem escoteiro e o pastor. Foi então que o pastor, com voz trêmula mas resoluta, disse para o jovem: "Filho, tenho tido uma vida boa, e sei para onde vou. Você pega o último paraquedas, e eu vou descer com o avião." O jovem escoteiro olhou para o pastor e respondeu: "Não se preocupe, pastor, o homem mais inteligente do mundo pulou do avião com minha mochila nas costas!"

Essa história ilustra a diferença entre conhecimento e sabedoria. Conhecimento de fatos nem sempre implica saber usá-los na vida real. Por isso, há muita diferença entre ser um professor que tem informação e um professor que consegue comunicar esse conteúdo pelo próprio caráter e pelo ensino criativo.

Quais as qualidades que distinguem um professor "conhecedor" e um professor "sábio"? É interessante notar que a Bíblia faz esta distinção. Com palavras surpreendentemente atuais, ensina-nos que *o professor sábio preocupa-se com a comunicação criativa de um conteúdo que transforma o caráter*.

Muitos anos atrás, o autor do livro de Eclesiastes, chamado o "Professor" em algumas versões da Bíblia, exemplificou as três qualidades essenciais a todos que presumem ensinar aos outros:

Mas porque era sábio, o Professor continuou ensinando aquilo que sabia a outras pessoas; ele reuniu muitos provérbios e ditados. Além de ser sábio, o Professor sabia ensinar; além de ensinar o que sabia, ele fazia isso de um modo agradável e interessante. As palavras do homem sábio nos forçam a tomar uma atitude. Elas explicam claramente verdades muito importantes. Os alunos que aprendem bem o que os professores ensinaram serão sábios (Ec 12.9-11, A Bíblia Viva).

Podemos resumir essas qualidades dizendo que o professor sábio que deixa um impacto na vida de outros tem:

1. Conteúdo
2. Comunicação criativa
3. Caráter condizente

O professor sábio comunica com criatividade

Conforme o exemplo do "Professor" em Eclesiastes, o professor sábio preocupa-se não somente com o que ensina, mas também como ensina. O uso de *provérbios e ditados* significa um esforço para tornar a informação abstrata e aparentemente irrelevante (às vezes, cansativa) em algo prático, concreto e vivo. Implica o uso de analogias, comparações, histórias, piadas, estudos de caso e audiovisuais. O "Professor" ensinava *de um modo agradável e interessante*. Não é coincidência que o maior mestre de todos os tempos, o Senhor Jesus, também ensinava assim. A Bíblia nos diz que *"sem parábolas* (histórias, analogias, alegorias) *Jesus não lhes ensinava nada"* (Mt 13.34).

O professor sábio comunica por meio do caráter

Você deve ter tido um professor criativo, que se preocupava não somente com o conteúdo, mas também com sua vida. Possivelmente foi o caráter daquele professor, com seu interesse e uma aula bem dada, que impactou sua vida.

Instrução feita num vácuo moral acaba sendo um ensino imoral. O Professor em Eclesiastes reconhecia bem este fato, pois termina seu livro enfatizando a importância do caráter no ensino e na vida: *De tudo o que se tem ouvido, a suma é: Teme a Deus e guarda os seus mandamentos; porque isto é o dever de todo homem. Porque Deus há de trazer a juízo todas as obras, até as que estão escondidas, quer sejam boas, quer sejam más* (Ec 12.13,14). Em outras palavras, conhecimento e conteúdo em si não são suficientes para influenciar positivamente as pessoas. Ser professor não é simplesmente mais um ministério ou mais uma profissão. Ser professor significa abraçar uma das responsabilidades mais dignas possíveis — formar vidas. O professor sábio tem um relacionamento com Deus que transforma seu próprio caráter e acaba formando o caráter de seus alunos.

O Novo Testamento deixa claro que isso somente acontece quando o professor tem um encontro pessoal com Deus através do Senhor Jesus Cristo, que disse: *Eu sou o caminho, a verdade e a vida; ninguém vem ao Pai, senão por mim* (Jo 14.6). (Para saber mais sobre como ter esse relacionamento íntimo — e sábio — com Deus por meio de Cristo, veja no Apêndice "Perguntas e respostas sobre a vida eterna".)

Parabéns aos professores que se preocupam não somente com o conteúdo, mas com a comunicação criativa do que sabem. Gravam na mente de seus alunos a informação de que tanto precisam. Parabéns aos professores que vivem o que ensinam, e ensinam o que vivem. Gravam para sempre no coração de seus alunos o caráter que tanto falta em nossos dias. Por causa deles, não precisamos saltar do avião da vida com uma mochila nas costas.

O professor sábio
Dez perguntas que todo professor deve responder[3]
O dr. Robert Choun Jr. sugere que o professor sábio deve responder a estas perguntas antes de entrar na sala de aula:

1. Quais os alvos e objetivos da lição? (O que você quer que seus alunos saibam, sintam e façam como resultado da aula?)
2. Quantos alunos haverá na sua classe? (Um grupo grande terá de ser dividido em grupos menores. Quem lidera esses grupos? Onde trabalharão? Por quanto tempo?)
3. Qual o tamanho da sala de aula? (Pode ser dividida? Comporta todos os alunos com conforto? Há limitações físicas? Onde fica o sanitário?)
4. Quanto tempo terá para dirigir a aula? (Precisa descobrir o tempo REAL de aula, fora exercícios de abertura, lista de frequência, avisos etc.)
5. Quais os recursos e equipamentos disponíveis? (Existe um quadro-negro? Projetor de *data show*? Murais? *Flip chart*? Lápis de cera?)
6. Qual o programa que está sendo adotado com os alunos? (O que os alunos já estudaram? Até que ponto têm assimilado o conteúdo das lições anteriores?)

7. Onde é a sala de aula? (Fica num lugar quente, que recebe o sol direto? Ventilado? Barulhento? Como lidar com os imprevistos?)
8. Qual a idade dos alunos? (A aula está apropriada para as características dessa idade?)
9. Qual o "ambiente" do grupo? (Pense em termos de ambiente espiritual, socioeconômico, nível de compromisso, tempo juntos como "turma" etc.)
10. Quais os professores desse grupo? (Quem já deu aula para esses alunos? Alguém dará aula com você? Que tipo de aula eles estão acostumados a receber?)

Perguntas para discussão

1. Descreva o bom professor, usando as três categorias "ser", "saber" e "fazer". (Quais as características do seu caráter, conhecimento e comportamento?)

2. O que é mais importante: conteúdo, comunicação ou caráter? Por quê?

3. Qual a diferença entre conhecimento e sabedoria? Como essa diferença se manifesta no professor sábio?

4. Como nosso ensino é às vezes desequilibrado? Erramos mais em direção ao conteúdo ou à comunicação? Como corrigir esse desequilíbrio?

5. Como podemos melhorar nossa comunicação da verdade sem sacrificar o conteúdo?

O professor cristão
Educação verdadeiramente cristã

Certa vez, o professor de um seminário colocou para tocar a gravação de uma mensagem para seus alunos. Juntos, eles escutaram a voz de um pregador cativante. No final, o professor pediu que os alunos avaliassem a mensagem. Foram unânimes em considerar um dos melhores sermões que já tinham ouvido. Até que o mestre explicou que o pregador era líder de uma seita que negava a divindade de Jesus. O problema não estava no que o pregador falou, mas no que ele NÃO falou. Sua mensagem era anticristã.

Quem precisa de educação cristã? Todos nós! Pastores e professores da Escola Bíblica Dominical precisam de educação cristã para proteger suas ovelhas contra os lobos que as atacam. Pais precisam de educação cristã para preparar seus filhos para dias difíceis por vir. João, o discípulo amado do Senhor Jesus, alertou: *Amados, não deis crédito a qualquer espírito; antes, provai os espíritos se procedem de Deus, porque muitos falsos profetas têm saído pelo mundo fora* (1Jo 4.1). Paulo diz que essa ameaça atingirá proporções gigantescas no fim dos tempos: *Ora, o Espírito afirma expressamente que, nos últimos tempos, alguns apostatarão da fé, por obedecerem a espíritos enganadores e a ensinos de demônios* (1Tm 4.1). *Pois haverá tempo em que não suportarão a sã doutrina; pelo contrário, cercar-se-ão de mestres, segundo as suas próprias cobiças, como que sentindo coceira nos ouvidos* (4.3). Será que você e eu já adquirimos um "radar bíblico" de educação cristã para detectar falsos profetas? Será que o que fazemos na sala de aula é meramente educação, ou educação verdadeiramente cristã? Afinal de contas, o que é educação cristã?

O que a educação cristã NÃO É
1. **Educação cristã NÃO É memorização de fatos e textos bíblicos**

Certamente a educação cristã INCLUI conhecimento de grandes histórias e fatos bíblicos: como Davi matou Golias, onde Paulo esteve nas suas viagens missionárias, os nomes das doze tribos de Israel. Saber que a Bíblia protestante tem 66 livros, 1.189 capítulos e 31.173 versículos é interessante. E poder citar textos bíblicos de cor pode ter muito valor na luta contra o pecado. Mas os fariseus eram campeões de concursos de EBS (Escola Bíblica Sabatina), sem ter a mínima noção do que era educação cristã. Todos nós conhecemos pessoas "craques" de Bíblia, mas com vidas fracassadas. O próprio diabo conhece bem a Bíblia, mas nem por isso tem uma educação cristã (veja Tg 2.19; Mt 4.6). Conhecimento bíblico é fundamental, mas não é a essência da educação cristã. Educação verdadeiramente cristã toca o coração, o centro da vida do indivíduo.

2. **Educação cristã NÃO É moralização**

Ame seu próximo. Não tome o que não lhe pertence. Levante-se na presença dos idosos. Não brigue com sua irmã. Certamente princípios morais são importantes e fazem parte da educação cristã. Mas a Bíblia não foi escrita como livro de etiqueta. O problema não está nos princípios morais *em si*. O problema é quando "moralizamos" de uma maneira que seria tão apropriada a uma sinagoga, mesquita ou igreja mórmon ou evangélica. Uma mensagem ou lição que recomenda moralidade e compaixão sem falar de Cristo permanece subcristã, mesmo que o mensageiro consiga provar que a Bíblia exige esse comportamento.

O que a educação cristã É

Certa vez, uma menina em idade pré-escolar tinha de fazer o papel de Maria, mãe de Jesus, numa peça teatral natalina. No início, tudo ia muito bem, e "Maria" sorria com satisfação enquanto admirava a boneca na manjedoura. Mas logo os animais, pastores e outras pessoas encheram o palco, até que ninguém podia ver o berço humilde. A menina, então, levantou a boneca acima da cabeça de todos, onde ela ficou até o final da peça. Depois, quando alguém perguntou por que ela fez isso, a menina declarou: "Todos estavam tirando seu lugar... eu tinha de levantar Jesus!"

O que é educação verdadeiramente cristã? Em poucas palavras, educação cristã é educação (ensino, pregação, discipulado) focalizada na pessoa de Cristo. Jesus Cristo é o que torna a educação cristã, cristã! Ele é o destaque, a distinção entre ensino religioso e ensino cristão. Ele é o ponto central de TODAS as Escrituras. Educação cristã se resume a duas grandes lições. Estas não representam um "plano de aula" mágico para professores nem uma fórmula simplista que sempre produzirá o resultado desejado. Mas são elementos que devem estar presentes de alguma forma em todo ensino que se diz "cristão".

1. **A educação cristã expõe a necessidade que o homem tem de Cristo**[4]

Não adianta ensinar princípios morais se deixarmos a impressão de que o homem será capaz de cumpri-los por si mesmo.

Somente a graça de Deus, pelo Espírito de Cristo, por causa da vida de Jesus em nós, nos capacita a viver a vida cristã. *Estou crucificado com Cristo; logo, já não sou eu quem vive, mas Cristo vive em mim* (Gl 2.19,20). *Cristo em vós, a esperança da glória* (Cl 1.27). Na criação de nossos filhos, nas nossas aulas de EBD, nos nossos púlpitos, temos de expor a carência que o homem tem de Cristo. Sem Jesus, ninguém se salva. Sem Jesus, ninguém pode viver a vida cristã (Jo 15.5).

Mas como fazer isso de forma prática? Como pais, precisamos manter o alto padrão de santidade que Deus estabeleceu para nossos filhos, um padrão que visa a atingir o coração (Mt 5.48; Pv 4.23). Pais servem como espelhos para os filhos verem o reflexo do seu interior. O pai que estabelece um padrão de fácil acesso, ou que focaliza somente o exterior (como os fariseus), cria um filho legalista ou um filho que não reconhece sua necessidade de Jesus. Professores e pastores atingem o coração quando expõem a santidade de Deus e a carência do homem, sempre apontando para a capacitação divina pela vida de Jesus.

2. **A educação cristã exalta a solução divina para o homem: a pessoa de Cristo**

Se nosso ensino somente aponta a necessidade do homem, sem levar à cruz, avançamos na Lei sem a graça. Colocamos os ouvintes debaixo da velha aliança, sem contar-lhes o fim da história. Infelizmente, muito do nosso ensino (e muitos movimentos subcristãos de hoje) coloca o povo debaixo da Lei, como se a cruz e a ressurreição de Cristo nunca tivessem acontecido, e como se eles, pelos próprios méritos, pudessem ser aceitos diante de Deus. A educação cristã leva o descrente até a cruz e o túmulo vazio, e leva o crente à semelhança com Cristo. Essa foi a "filosofia de ministério" do apóstolo Paulo (Cl 1.28,29).

Antes de você dizer "Já sabia tudo isso!", considere as implicações da verdadeira educação cristã. Sei que MUITAS vezes eu ensinei, em nome da "educação cristã", lições que não apontavam para Cristo. Por exemplo, certa vez estava prestes a fazer um estudo bíblico num colégio evangélico sobre Provérbios 15.1: *A resposta branda desvia o furor, mas a palavra dura suscita a ira.* Iria exortar as crianças a não ficarem iradas, a sempre falarem palavras suaves, a não provocarem seus colegas. Mas, de repente, reconheci que aquela mensagem seria perfeitamente aceitável numa sinagoga judaica ou entre os testemunhas de Jeová. O que faltava? Um esclarecimento de que, sem Jesus, ninguém é capaz de devolver palavras brandas por palavras duras; que a vida de Jesus realmente exemplifica essa atitude; que Jesus morreu e ressuscitou em meu lugar, para que a vida dele seja vivida em mim; que aquele que ama a Jesus guarda seus mandamentos; que ele quer tomar conta das minhas palavras e falar através de mim. Por pouco fui poupado de transmitir uma mensagem que chamo "subcristã".

Infelizmente, muitas vezes ficamos empolgados com tudo em nossas igrejas, menos Cristo. A estratégia de Satanás parece ser desviar nossa atenção do que é central, para patinarmos sobre a periferia da nossa fé. Enchemos o calendário da igreja com programas. Envolvemo-nos na política. Seguimos doutrinas estranhas ou marginais farejando anjos (ou demônios), reivindicando bênçãos, declarando prosperidade, amarrando (ou desamarrando), mercadejando sinais, milagres e poder, tudo em nome de Jesus, mas muitas vezes sem proclamar a Jesus (Mt 7.22,23)!

Jesus é a única mensagem da educação cristã. Foi isso que ele mesmo falou aos seus perseguidores religiosos em João 5.39: *Examinais as Escrituras, porque julgais ter nelas a vida eterna, e são elas mesmas que testificam de mim.* No caminho para Emaús, Jesus repetiu a lição: *E, começando por Moisés, discorrendo por todos os Profetas, expunha-lhes o que a SEU respeito constava em todas as Escrituras* (Lc 24.27). O apóstolo Paulo deu este testemunho sobre o motivo do seu ministério: *Porque decidi nada saber entre vós, senão a Jesus Cristo, e este crucificado* (1Co 2.2). *Porque não nos pregamos a nós mesmos, mas a Cristo Jesus como Senhor* (2Co 4.5).

Quem precisa de educação cristã? Eu, e você, e nossos alunos. O que é educação verdadeiramente cristã? Levantar Jesus, em toda a sua glória, majestade e poder. Que sejamos professores realmente cristãos ao compartilharmos essa mensagem maravilhosa!

Perguntas para discussão

1. Em que sentido uma aula deve ser "cristocêntrica"? Precisa mencionar o nome de Jesus "x" vezes para ser "educação cristã"?
2. É errada a memorização de versículos e fatos bíblicos? Para que serve? Como melhor usá-la?
3. Como um professor pode "expor o coração" de seus alunos no contexto da aula? O que isso significa? Quais os perigos?
4. Qual é o papel da culpa no ensino cristão? Os alunos devem sair da aula sentindo-se culpados pelo seu pecado?
5. Como o ensino cristão aponta para a solução dos problemas do homem? Como fazer isso de uma história do Antigo Testamento, por exemplo?

O professor criativo
A necessidade de ideias criativas

A cena se repete domingo após domingo, em igrejas de Porto Alegre até Macapá, sejam grandes ou pequenas, ricas ou pobres. As crianças entram na classe da Escola Bíblica Dominical, acham seus lugares (de preferência, tão perto do fundo quanto possível) e esperam "mais uma aula". Seu professor chega alguns minutos depois, ofegante, obviamente recém-acordado, Bíblia e revista da EBD debaixo do braço.

Começa com pedidos e respostas de oração. Ninguém consegue lembrar os pedidos da semana anterior. Um aluno pede oração pelo tio do seu vizinho que está com pneumonia. Mas não lembra o nome dele.

Depois de uma oração genérica para "abençoar os missionários", a aula começa.

— Quem lembra o assunto da lição da semana passada? (Uma menina lembra que tinha alguma coisa a ver com pecado.)

— Quem fez a leitura da lição desta semana? (Ninguém.)

— Quem memorizou o versículo? (Todos esqueceram de que tinham de memorizar um versículo. Joãozinho aproveita para jogar uma bolinha de papel em direção à Maria.)

O professor começa a ler a lição da revista denominacional. A história de hoje é sobre Davi e Golias. Para ilustrar, o professor (que por sinal pensa que é bem criativo) mostra um estilingue que fez naquela manhã, pouco antes de vir para a igreja. Infelizmente, o elástico quebra na primeira vez que o professor tenta arremessar com ele.

Marcelo levanta a mão:

— Mas professor, pensei que fosse uma funda, e não um estilingue, que Davi usou para derrubar Golias!

O professor passa rapidamente para o próximo ponto, que também lê da revista.

Finalmente, pela graça de Deus, o sino toca, convocando todos os alunos para o encerramento geral. Dez minutos se passam até que todos estejam congregados. Depois de cantar "parabéns" para os três aniversariantes da semana, um irmão lê os avisos. Haverá um concurso da EBD durante o próximo mês. Todos devem trazer visitantes para ganhar o prêmio de melhor aluno da EBD.

Por fim, um "voluntário" de cada classe dá um resumo do que foi passado em sua aula. As crianças cantam um corinho. Uma classe recita um versículo. E o dirigente faz a oração de encerramento. E ninguém consegue entender por que a frequência à EBD é cada vez mais fraca.

O caso apresentado é um exemplo extremo, talvez? Cremos que não. A mediocridade em nome de Jesus parece-nos ser a norma, e não a exceção. O ensino que denominamos "evangélico" muitas vezes é uma ótima justificativa para dormir até tarde, ir para a praia ou assistir a programas de TV na hora da Escola Dominical.

Mas será que o ensino de Jesus era assim? Será que os apóstolos e os profetas lutavam para manter seus ouvintes acordados? Professores gostam de culpar seus alunos supostamente "descompromissados" com a Palavra, e às vezes têm razão. Mas será que muitos não param de frequentar a EBD por julgá-la irrelevante, cansativa e monótona?

Por que precisamos de professores criativos? Gostaríamos de sugerir algumas razões em defesa de um ensino criativo e excelente, não medíocre. Um ensino que transmite conteúdo com clareza:

1. **Ensinamos com criatividade como reflexo da imagem de Deus em nós (Gn 1.26-28)**

Como seres feitos à imagem de Deus, temos a capacidade de criar para a glória de Deus. A criatividade permite que vejamos novas relações, inventemos o que não existia antes e imaginemos soluções novas para velhos problemas.

2. **Ensinamos com criatividade conforme o modelo dos grandes comunicadores da Palavra de Deus**

Os autores bíblicos estabeleceram o padrão de criatividade na comunicação da vontade de Deus. Os apóstolos eram campeões da metáfora. Os profetas usavam lições objetivas; muitas vezes as suas próprias vidas eram a mensagem. Por exemplo, Jeremias usou um jugo (Jr 28.10ss.), quebrou um vaso (Jr 19.10,11), escondeu um cinto (Jr 13) e enterrou pedras no Egito (Jr 43.8,9), tudo para tornar concreto o recado de Deus para seu povo.

Ezequiel foi amarrado com cordas (Ez 3.24-27), dramatizou um sítio contra Jerusalém (Ez 4.1-17) e o cativeiro (Ez 12), ficou trêmulo enquanto estava comendo (Ez 12.17-20), cortou, espalhou e queimou seu próprio cabelo (Ez 5.1-17). O livro de Oseias foi estruturado em volta do drama humano entre Oseias e sua esposa, Gômer.

O ponto central de todos esses exemplos? Deus ordenou que a comunicação da sua Palavra fosse tão gráfica e memorável quanto possível, e isso muitas vezes pelo uso criativo de objetos e drama. Se os profetas precisavam de criatividade, quanto mais nós?

3. Ensinamos com criatividade conforme o modelo de Jesus

O ensino de Jesus foi imprevisível e criativo, fato que garantia maior impacto para suas palavras. Usava diálogo e perguntas e respostas para provocar reflexão. Contava histórias (parábolas) que envolviam os ouvintes antes de eles perceberem que eles mesmos eram a "razão" da história. (De fato, Mt 13.34 deixa claro que Jesus não lecionava nenhuma matéria sem contar histórias criativas!) Jesus ensinava em "3-D", transformando objetos simples e até "tranqueira" em lições objetivas espirituais. Se o mestre dos mestres precisava ensinar com criatividade, o que dizer de nós?

4. Ensinamos com criatividade por causa da realidade de vida dos nossos alunos

Nosso mundo moderno está acostumado à mudança de imagens de cinco em cinco segundos. Como professores criativos, não podemos (nem queremos) competir com o mundo de imagens e fantasias que a TV e a *internet* inventam. Mas nem por isso vamos enfastiar nossos alunos com um ensino enfadonho, monótono e sem imaginação. Ensino criativo desperta os alunos através de imagens mentais (se não sempre materiais). Transporta o aluno dos dias atuais para o mundo bíblico e vice-versa. Usa TODOS os sentidos do aluno, e não somente o ouvido. Estimula o próprio aluno a embarcar numa jornada de descobertas no texto bíblico, em vez de simplesmente contar-lhe sobre a viagem do professor.

5. Ensinamos com criatividade para acelerar o processo de aprendizagem

O educador cristão Larry Richards afirma que o ensino criativo acelera a passagem entre os cinco estágios ou níveis de aprendizagem. A criatividade facilita a transição de um nível a outro, pois torna o texto dinâmico e mostra como vivê-lo hoje:

1. Repetição (mera memorização).
2. Reconhecimento (associação/identificação de fatos).
3. Reformulação (colocar o conceito em nossas próprias palavras).
4. Relação (transportar o significado do texto para nossa vida).
5. Realização (apropriação prática, viver a lição no dia a dia).[5]

Perguntas para discussão

1. Quais são suas maiores frustrações com seu contexto de ensino? O que pode ser melhorado?
2. Responda a esta declaração: "Não preciso de ideias criativas. Só quero ensinar a Bíblia."
3. Por que Deus usou tantas histórias, figuras, ilustrações, lições objetivas, parábolas e provérbios para transmitir a mensagem da Palavra?
4. Procure listar as "técnicas" criativas usadas pelos autores e professores da Palavra que você consegue lembrar.
5. Quais são alguns dos perigos no uso da criatividade no ensino cristão?

O professor organizado
O plano de aula

O preparo e o uso de um bom plano de aula seriam suficientes para revolucionar o ensino de milhares de professores. Vacilamos no ensino por não termos mapa. Erramos o alvo por não termos destino definido! O plano de aula simples, claro e bem elaborado faz tudo isso e muito mais.

O apóstolo Paulo tinha alvos e objetivos bem claros em seu ensino e pregação. Ele exaltava a pessoa de Jesus *advertindo e ensinando a cada um com toda a sabedoria, para que apresentemos todo homem perfeito em Cristo. Para isso eu me esforço, lutando conforme a sua força, que atua poderosamente em mim* (Cl 1.28,29, NVI).

Ver Cristo Jesus formado em nossos alunos é o objetivo de todo professor cristão (Gl 4.19; Rm 8.29; Fp 1.6). Nossos planos de aula devem sempre ter esse fim. Devem refletir um processo de aprendizagem em que o professor conduza seus alunos passo a passo nessa direção.

O plano de aula traz muitas vantagens para o professor e para os alunos:
- Facilita o avanço da aula em direção ao alvo.
- Proporciona economia e maior controle do tempo.

- Lembra ao professor os elementos essenciais à aula (material necessário, tarefas, avisos, métodos etc.).
- Organiza o tempo do professor e a aula, assim evitando imprevistos, contratempos e detalhes esquecidos.
- Incentiva o preparo prévio da aula.
- Preserva o procedimento da aula num arquivo para uso futuro.
- Facilita a avaliação e reformulação da aula.[6]

Com mais de cinquenta anos de experiência acumulados na sala de aula, nenhum de nós consegue lembrar de ter ousado dar uma aula sem pelo menos esboçar primeiro um simples plano de aula. Infelizmente, para a maioria dos professores, um plano de aula parece uma "camisa de força" e não uma ferramenta que nos liberta para desenvolvermos nossa criatividade.

Na tentativa de espantar alguns "fantasmas" que pairam sobre o temível plano de aula, lembramos o princípio fundamental: O plano de aula existe para o professor, e não o professor para o plano de aula!

Todo professor precisa de um plano. Mas o plano é servo do mestre, e não o contrário. Por isso, é imprescindível que cada professor descubra como organizar e estruturar a aula conforme seu "gosto", personalidade e habilidades.

Gostaríamos de sugerir um formato simples de um plano de aula, na tentativa de simplificar o planejamento do professor e tornar sua aula objetiva. Não é obrigatório preencher todos os itens mencionados, mas esse formulário inclui os elementos que a maioria dos professores precisa para preparar uma aula bem organizada.

Esboço de um plano de aula

Título da lição (Texto)   Data: __/__/__

Nome do professor

Objetivos
No final desta aula, o aluno deverá ser capaz de...
• Saber... _____
• Sentir... _____
• Fazer... _____

Material necessário
_____
_____

Divisão da lição	Métodos didáticos	Duração
Captação		
Explicação (lição própria)		
Atividade(s) dos alunos		
Revisão/recapitulação		
Aplicação/desafio final		

• Tarefa: _____
• Avisos/pedidos de oração: _____
• Semana que vem: _____
• Avaliação/observações sobre a aula: _____
_____
_____
_____

Observações sobre o plano de aula

1. **Objetivos:** Sugerimos não mais de três objetivos para a aula. Esses objetivos devem ser escritos conforme o que O ALUNO deve ser capaz de saber, fazer, sentir etc. no final da aula. (Alguns professores escrevem objetivos sobre o que ELES farão na aula, mas isso é errado. O objetivo é a transformação da vida do aluno.) Nem toda aula incluirá todos os aspectos "saber", "sentir" ou "fazer" (objetivos cognitivos, afetivos ou ativos, respectivamente), embora o professor faça bem se sempre verificar o impacto da aula nessas três categorias gerais.

   Na medida do possível, os objetivos devem ser:
   - Mensuráveis
   - Específicos
   - Alcançáveis
   - Práticos
   - Breves
   - Bíblicos (sugeridos pelo texto).[7]

2. **Material necessário:** Aqui o professor deve anotar todo o material de apoio de que precisará, para evitar o constrangimento de chegar ao ponto alto da aula e descobrir que deixou um recurso principal em casa.

3. **Captação:** Talvez o ponto mais importante da aula seja o primeiro contato com os alunos. **Esses momentos precisam ser planejados!** O "por acaso" vira um caso de desastre. A captação é como um gancho, que atrai o aluno, levanta uma necessidade real em sua vida e sugere que Deus tem uma resposta.

4. **Explicação:** Explicação é o "corpo" da lição, a transmissão da essência da lição para aquele dia. Anote os métodos didáticos que pretende usar e quanto tempo cada método ou etapa da aula vai exigir.

5. **Atividade(s) dos alunos:** Esta categoria talvez sirva mais para aulas com crianças pequenas, em que algum trabalho manual e/ou recreativo acompanha a aula. Mas classes de adultos muitas vezes podem ser desafiadas com alguma atividade em conjunto, que reforçará a ideia central da lição.
6. **Revisão/recapitulação:** Muitas vezes a aula incluirá um resumo final ou alguma atividade de recapitulação da matéria, visando a gravar sua mensagem na mente e no coração dos alunos.
7. **Aplicação/desafio final:** Talvez haja um projeto específico que o Espírito Santo coloque no coração do professor e/ou dos alunos como resultado da lição. Deve ser anotado nesse espaço.
8. **Tarefa:** O professor deve anotar as tarefas a serem passadas para os alunos fazerem antes da próxima aula.
9. **Avisos:** Muitas vezes o professor precisa fazer lembretes sobre um evento social da classe, alunos doentes, pedidos de oração etc.
10. **Semana que vem:** Anote aqui o assunto e quaisquer "atrativos" da próxima semana para criar expectativa nos alunos para a aula seguinte.
11. **Avaliação/observações sobre a aula:** Depois da aula, o professor deve anotar suas próprias observações sobre o que funcionou ou não, como melhoraria a próxima aula etc. Então, o plano deve ser arquivado num lugar de fácil acesso, visando a uma futura ministração.

Uma última sugestão: Sempre que possível, logo que terminar uma aula, o professor deve preparar o esboço da próxima, para não esquecer de detalhes e ideias importantes. Assim poderá aproveitar o intervalo entre as aulas para aperfeiçoar seu plano.

Perguntas para discussão

1. Quais as razões por que muitos professores não preparam um plano de aula?
2. Quais são as vantagens de um bom plano de aula?
3. Imagine que você dará uma aula sobre Davi e Golias para juniores. Procure produzir três objetivos específicos para essa aula.
4. Quais são algumas maneiras pelas quais alguns professores iniciam as suas aulas que NÃO servem como captações?
5. Como desperdiçamos tempo em nossas classes, especialmente quando não temos um plano de aula elaborado?

O professor aluno
Sugestões práticas para melhorar seu ensino[8]

O bom professor nunca deixa de ser aluno. Como aluno, o professor está sempre aprendendo — sobre o texto bíblico, sobre si mesmo, sobre seus alunos, sobre o mundo em que vive. As sugestões que se seguem resumem algumas ideias práticas para tornar o professor um excelente aluno e, como consequência, um professor muito melhor.

- Prepare-se com antecedência, evitando a improvisação de última hora. Assim, você não desperdiçará a sua energia na "tensão didática" durante a semana, guardando-a para os momentos de meditação e vida pessoal!
- Pratique a estratégia "atacar e descansar", ou seja, trabalhar a lição um pouco cada dia, e depois permitir que ela fique "fervendo" em sua mente e no seu coração num período de "descanso".
- Marque períodos de oração voltados exclusivamente para intercessão a favor dos seus alunos e da sua aula.
- Ache um colega com quem possa orar e conversar a respeito do ensino.

- Monte um caderno ou um grupo de mídia social com fotos de seus alunos e pedidos de oração, e ore por eles durante a semana.
- Faça pesquisas informais durante a semana com membros da classe para descobrir suas opiniões e experiências com o tema daquela semana.
- Programe atividades extracurriculares com sua turma.
- Leia um livro da Bíblia que não tenha nada a ver com a aula da semana para enriquecer seu conhecimento bíblico.
- Assim que terminar a lição, avalie a aula, os métodos etc. e anote as mudanças que faria da próxima vez.
- Logo após a lição, reformule seu plano de aula e prepare o plano da próxima semana.
- Obtenha *feedback* (retorno) sobre suas aulas e seu desempenho como professor através de um ou mais destes canais:
  - Questionários preenchidos pelos alunos;
  - Conversas informais com os alunos (e/ou seus pais);
  - Gravações ou filmagens das suas aulas;
  - Grupo de "colaboradores" com quem possa dialogar antes e depois da aula;
  - Divulgação do seu e-mail ou conta de mídia social para os alunos corresponderem sobre a aula, esclarecerem dúvidas etc.
- Prepare um plano de aula e siga-o! Faça a si mesmo algumas perguntas-chave sobre a lição no final do seu preparo:
  - Conheço bem o texto bíblico?
  - Essa lição exalta Cristo Jesus (aponta a necessidade do homem, mas também a solução em Cristo)? (Veja "O professor cristão".)
  - Tenho orado pelos alunos e pela aula?
  - Existe algum método criativo apropriado para visualizar ainda melhor essa aula?

- Posso envolver os alunos ainda mais no processo de aprendizagem?
- Há aplicação prática e objetiva incluída na lição?
- Tenho todos os materiais prontos para ensinar essa aula?

Perguntas para discussão

1. Quais são algumas maneiras práticas pelas quais o professor pode continuar sendo aluno?
2. Como seria o preparo ideal de um professor de Escola Bíblica Dominical durante a semana? (Procure esboçar o que faria cada dia da semana em preparação para sua aula no domingo.)
3. Como você tem obtido retorno sobre seu ensino? O que você tem aprendido?
4. O que significa a estratégia "atacar e descansar" no preparo de uma aula? Como funciona?

O professor apropriado
Os dez mandamentos da criatividade

1. Dependa do Senhor, e não de métodos criativos
Um dos perigos para o comunicador criativo é a dependência dos seus muitos métodos, e não do Senhor, para impactar a vida de seus alunos.

As palavras do apóstolo Paulo nos lembram da incapacidade de métodos humanos em atingir alvos eternos: *Eu mesmo, irmãos, [...] não fui com discurso eloquente, nem com muita sabedoria para lhes proclamar o mistério de Deus. Pois decidi nada saber entre vocês, a não ser Jesus Cristo, e este, crucificado. E foi com fraqueza, temor e com muito tremor que estive entre vocês. Minha mensagem e minha pregação não consistiram em palavras persuasivas de sabedoria, mas consistiram em demonstração do poder do Espírito, para que a fé que vocês têm não se baseasse na sabedoria humana, mas no poder de Deus* (1Co 2.1-5, NVI).

Muito mais importante que "ideias criativas" é a nossa dependência do Senhor; a Bíblia como nossa única fonte de autoridade; o caráter do professor como o canal pelo qual o Espírito Santo haverá de transformar a vida dos alunos. Criatividade pode ser um "tempero", mas nunca o "arroz e feijão" do nosso ensino.

2. Use métodos apropriados ao conteúdo da lição

O professor criativo não emprega métodos como o fim em si, mas como meio de alcançar os objetivos da aula. O conteúdo da lição determina a melhor forma de comunicação, assim como a função determina a forma em obras de arte.

3. Prepare bem a aula

A maneira mais fácil de matar a criatividade na sala de aula é o mau preparo. O professor sábio tem um plano de aula suficientemente elaborado para saber o que fará, quando e como. Prepara seus materiais didáticos com antecedência, experimenta novas ideias antes de usá-las com seus alunos, chega antes dos alunos para verificar o ambiente da classe e montar seus recursos. A criatividade nunca substitui o preparo cuidadoso!

4. Desenvolva as ideias com entusiasmo

Usar ideias criativas na sala de aula exige muita coragem e não pouca fé. Se o professor duvidar que uma ideia nova vá funcionar, provavelmente terá razão. Metade do sucesso da criatividade depende do ânimo do professor que crê na ideia como sendo a melhor maneira de gravar os objetivos da lição na mente e no coração dos alunos.

5. Tenha coragem para experimentar ideias novas

O problema com muitos professores é que eles ficam "bitolados" — os mesmos métodos, a mesma estrutura — na síndrome do "mesmo-mesmo". Criatividade exige inovação, que implica insegurança para muitos.

Ainda que não exista nada *novo debaixo do céu* (Ec 1.9), para o professor existe muita novidade, pois ELE nunca usou determinado método com esses alunos. E se não funcionar? E se os alunos derem risadas de mim? O professor seguro reconhece que uma ideia ou outra não vai funcionar mesmo, mas que o risco será mais do que recompensado a longo prazo. Pelo menos descobriu algo que NÃO funciona em determinado contexto. Além disso, estará formando hábitos como comunicador que tornarão sua aula uma experiência de aprendizagem, e não simplesmente "mais uma aula". Acima de tudo, NÃO DESISTA, mesmo que uma ideia ou outra não funcione.

6. Seja sensível às necessidades, tradições e expectativas da classe

Não quebre as tradições do grupo sem reflexão e avaliação séria. O "iconoclasta" (quebrador de imagens) pode se quebrar como professor se for "radical" demais com sua turma. Por exemplo, uma igreja supertradicional, onde nunca foi apresentado nenhum tipo de dramatização, talvez precise experimentar um simples jogral antes de alguém se arriscar fazendo um monólogo dramático de trinta minutos. Comece devagar, mas comece!

Ao mesmo tempo, a sensibilidade do professor inclui o bom gosto. Não use métodos vulgares, inapropriados para a audiência, sua idade, seus interesses e suas normas. Não faça "palhaçadas" só para chamar atenção para si. Nossa criatividade precisa ser disciplinada e controlada. O autor e mestre de comunicação Warren Wiersbe nos alerta: Um rio que ignora seus barrancos torna-se um brejo.[9] A forma do nosso ensino sempre segue a função que tem, e não vice-versa.

7. Adapte as ideias conforme a SUA realidade de ensino

As ideias sugeridas aqui representam um começo, um catálogo de possibilidades visando à sua criatividade. Use-as com discernimento, adaptando-as para seu próprio contexto de ensino, idade dos alunos etc.

8. Varie as ideias de aula em aula

Seria uma ótima ideia manter um registro das ideias empregadas em sua classe (talvez colocando um "X" ou a data e o local em que determinada ideia foi usada, ao lado da ideia alistada no Sumário). Embora não variemos só para variar, a própria mudança do conteúdo da aula normalmente corresponde às mudanças nas técnicas didáticas usadas pelo professor. Existe uma forte tendência por parte de muitos professores de sempre usar o método que funcionou bem uma vez. O professor criativo varia seus métodos conforme a aula.

9. Use um plano de aula

Mais uma vez, enfatizamos a importância de ter um plano de aula para garantir que a lição progrida de forma clara, adequada e criativa para seus objetivos. Esse plano deve listar os objetivos principais do encontro, os recursos necessários, como a aula vai começar e terminar, os métodos a serem utilizados, bem como o tempo necessário para cada parte da aula. (Para estudar mais sobre o plano de aula, veja "O professor organizado").

10. Avalie bem a aula e os métodos depois da lição

Não adianta empregar diversos métodos didáticos sem refletir sobre eles logo depois da aula. Sugerimos que o professor reformule o plano de aula assim que for possível, visando à próxima vez que ministrará aquela lição. Anote as ideias que funcionaram e que devem ser repetidas. Modifique as que poderiam ter funcionado melhor. Tire o que não foi muito apropriado. Avalie, avalie, avalie e melhore!

Perguntas para discussão

1. Quais são os perigos de cair na dependência de um método e não usar a sabedoria do Senhor no ensino criativo?
2. Como a falta de preparo pode afundar o ensino criativo?
3. Em que contextos você se sentiria menos inclinado a usar métodos criativos no ensino?
4. Você teria o 11º mandamento para acrescentar a esta lista?

O professor "ligado"
Características do aluno[10]

Cada criança é única. Seria impossível "encaixar" todas elas num gráfico geral. Nosso objetivo é despertar os professores para algumas características típicas das diferentes faixas etárias e oferecer sugestões práticas. Aconselhamos que não se limitem a este gráfico, mas observem e descubram as características próprias dos seus alunos.

Idade	Características	Material adequado / Estratégias
0-1 ano	Aos poucos, torna-se consciente do ambiente ao seu redor, focaliza os olhos e responde a estímulos.	Uso de fotos coloridas e grandes. Repetição de versinhos e cânticos simples.
1-2 anos	Começa a entender a existência contínua de objetos não presentes e a relação causa-efeito.	Uso de livros com figuras grandes, uma por página, e que a criança possa manusear. Repetição de versos e cânticos simples, com gestos, mas sem fazer esforço para que ela os repita.
2-3 anos	Fluência verbal. Por iniciativa própria, começa a repetir frases memorizadas, versículos, cânticos, fatos. A imaginação começa a se desenvolver. A concentração é curta, dois ou três minutos de cada vez. Pode concentrar-se numa só ideia por vez e focaliza uma imagem apenas. Descobre o ambiente imediato ao seu redor e começa a descobrir a si mesma.	Uso de livros que a criança possa "ler" sozinha e que estimulem a sua imaginação. Ensino bem simples e repetido, uma ideia por vez. Repetição das mesmas histórias curtas várias vezes.
3-4 anos	Maior desenvolvimento da imaginação e da fluência verbal. Curiosidade – "Por quê?" Independente, explora mais as atividades em grupo. Começa a estar ciente dos problemas do mundo "real".	Uso de histórias mais compridas e envolventes, versos sem rima, cânticos variados.
4-5 anos	Pode fixar a atenção de 4 a 10 minutos. Tem interesse nas atividades dos outros e em manter uma conversa. Sua imaginação é ativa, mas não tem ainda	Uso de flanelógrafo, fantoches, DVD's e dramatização em geral. As histórias podem ser repetidas menos vezes. Introdução de uma variedade de livros e

Idade	Características	Material adequado / Estratégias
5-6 anos	muita noção de tempo e espaço. Consegue repetir as histórias que ouviu. Já pode distinguir entre o certo e o errado. Algumas começam a ler e a contar. Desenvolve sociabilidade e interesse no mundo ao seu redor. Memoriza e recita versos. Gosta de atividades participativas.	ilustrações mais detalhados, e de livros sobre lugares, pessoas e animais desconhecidos. Leitura de livros em "série". Dramatização de histórias bíblicas, incentivo aos trabalhos manuais, canto e uso de instrumentos simples.
6-8 anos	Gosta de se identificar com personagens e de imitá-los. Consegue manter-se atenta por até 20 minutos. Tem boa memória, muita imaginação e raciocínio verbal. É criativa, responsável.	Atividades que exijam participação intensa (charadas, fantoches, dramatizações, brincadeiras com palavras e números...). Leitura de histórias de personagens com os quais possa se identificar. Memorização de versículos. Responsabilidade na direção da aula, de vez em quando.
9-11 anos	Ganha coordenação motora. É ativa, participativa, competitiva. Possui raciocínio lógico e ótima capacidade de memorização. Seus talentos estão em desenvolvimento.	Uso de dramatizações, concursos bíblicos, charadas, álbuns e coleções, desafios em geral, memorização de versículos, trabalhos manuais detalhados. As histórias devem ter aplicações práticas. Envolvimento em ministério com a turma.
12-14 anos	Passa por períodos alternados de energia e grande cansaço. Espírito prático, desafiador e aventureiro – gosta de explorar o mundo e testar os seus limites. Recebe grande influência dos colegas.	Desafios no estudo bíblico (perguntas, pesquisas). Leitura de biografias. Contato com ministérios que desafiem e confrontem com a realidade. Conversa aberta, segura,

Idade	Características	Material adequado / Estratégias
		honesta. Ênfase na importância de fazer escolhas de acordo com os princípios bíblicos. Responsabilidade mais frequente na direção da aula.
15-18 anos	Espírito crítico, prático, aventureiro. É capaz, responsável, independente, mas com tendências eventuais à insegurança e introspecção.	Estudo de doutrinas com aplicação prática. Diálogo franco e estudos sobre posição em Cristo, escolha do parceiro e da profissão. Responsabilidade em ministério prático e participação em viagens missionárias e outros ministérios.

Perguntas para discussão

1. Até que ponto essas características descrevem os alunos em sua classe ou seus próprios filhos (ou netos)?
2. Você pode lembrar de outras características que marcam a vida de pessoas em determinadas faixas etárias?
3. Você consegue lembrar de ilustrações dessas características que já presenciou na vida de alunos, filhos, vizinhos etc.?
4. Até que ponto essas características são "fixas"? Até que ponto mudam? Como tomar cuidado para reconhecer diferenças individuais em crianças?

Parte 2
Dicas didáticas e dinâmicas

Certa vez alguém observou que o Verbo de Deus se fez carne..., mas os professores o fizeram um verbo outra vez. Esse é o perigo ocupacional de nós, professores. Com o passar do tempo, tendemos a complicar as coisas, tornando-as menos e menos concretas e mais e mais abstratas.

Martinho Lutero comentou:

> O povo comum é mais facilmente cativado
> por analogias e exemplos
> do que por disputas difíceis e sutis.
> Eles prefeririam ver um quadro bem pintado
> do que ler um livro bem escrito.[11]

Como teólogos que também são professores, desejamos unir conteúdo e comunicação num casamento "feito no céu". Mas, para isso, precisaremos aprender a "visualizar" a verdade, para que nossos alunos também a vejam. Concordamos, pelo menos em parte, com o sábio que declarou: As pessoas vão à igreja para ver visões, não ouvir razões![12]

As ideias que se seguem são divididas conforme a categoria principal em que se inserem:

- Conhecendo a turma (ideias para desenvolver o relacionamento e a interação entre professor-aluno).
- Captações e introduções (ideias para despertar interesse e orientar o assunto principal da lição).
- Dinâmicas de ensino (ideias para desenvolver o conteúdo da matéria com o máximo de participação dos alunos).
- Audiovisuais (ideias que promovem aprendizagem através de mais de um sentido).
- Revisão e recapitulação (ideias para resumir o conteúdo da aula e gravar o ponto principal).
- Disciplina na classe (ideias para manter ordem e um ambiente propício para aprendizagem).

Ideias para conhecer a turma

Requisito fundamental para todo professor é o conhecimento dos alunos a quem ele ensina. As ideias que se seguem contribuem para esse fim.

1 Nome e sobrenome

Reúna os participantes em círculo e diga o seu nome, seguido de um adjetivo que comece com a primeira letra do nome e que de alguma forma descreva a sua pessoa (por exemplo, Fernando Feliz, Cristina Criativa, Bernardo Bonito etc.). A pessoa ao lado repete o seu "nome e sobrenome" e acrescenta o dela. A atividade prossegue ao redor do círculo com cada pessoa tentando lembrar o "nome e sobrenome" daquelas que a antecederam, para depois acrescentar o seu próprio.

2 Bingo dos nomes

- *Material necessário:* Canetas, cópias do quadro elaborado, prêmios (balas).

- *Procedimento:* Prepare um quadro conforme o modelo.

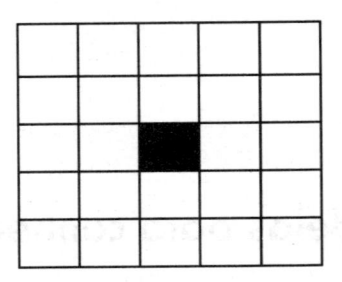

Entregue a cada participante uma cópia do quadro, onde ele deve coletar assinaturas, uma em cada quadrado (se o grupo tiver menos de 24 participantes, podem repetir assinaturas). Dê um sinal inicial e explique aos participantes que devem colher assinaturas dos outros membros do grupo. O objetivo é promover maior contato entre os integrantes da turma. Completadas as 24 assinaturas, todos devem se assentar. Depois, comece a chamar os nomes dos integrantes do grupo. A pessoa chamada deve ficar em pé para ser identificada pelos demais e pode dar alguns dados pessoais, como procedência, profissão etc. Todos os que colheram a assinatura daquela pessoa devem marcar um "X" no respectivo quadrado. Quem primeiro conseguir preencher cinco quadrados alinhados na horizontal, vertical ou diagonal recebe um prêmio.

3 Caça a autógrafos

Esta técnica pode ser utilizada para se verificar o nível de conhecimento que os alunos têm uns dos outros. Muitas vezes, eles estão na mesma sala de aula já há algum tempo, mas têm um nível bastante superficial de relacionamento. Esta dinâmica tem como objetivo levar os alunos a perceber a necessidade de um envolvimento maior na vida um do outro para que relacionamentos sejam mais aprofundados e possa haver mais ajuda mútua.

- **Procedimento:** O professor elabora uma lista de informações sobre seus alunos. Já que o professor tem um conhecimento maior da vida dos alunos (ou deveria ter), ele coloca uma observação interessante, e não tão óbvia, sobre cada um deles. (Se não tiver essa informação disponível, pode distribuir uma folha para cada aluno, pedindo algum fato desconhecido sobre sua vida.)

- **Exemplos de informações:**
1. Já viajei mais de duas vezes para o exterior: _____

2. Falo mais de uma língua fluentemente: _____

3. Já participei da Corrida de São Silvestre: _____

4. Meu passatempo preferido é pescar: _____

Após cada frase, ele deixa um traço _____, para que o aluno possa assinar o seu nome após a informação relacionada a ele.

No início da aula, o professor entrega a cada um a lista com todas as informações. Com a lista em mãos, cada aluno deverá pedir o autógrafo do colega a quem aquela informação se refere. Ao mesmo tempo, o aluno tem de assinar em cada folha a informação relacionada a ele. Dá-se um determinado tempo para que se colham as assinaturas. Nesse momento, é natural a formação de uma verdadeira balbúrdia, com todos os membros buscando rapidamente obter o maior número possível de autógrafos. Apesar de não ter promessa de prêmio, esta dinâmica leva todos a se envolverem calorosamente. E a dinâmica termina quando o primeiro aluno tem toda a sua folha preenchida, levando-a ao professor.

Discutindo com seus alunos
Concluída esta parte, inicia-se a discussão da técnica:

- O aluno que terminou em primeiro lugar é o aluno que realmente conhece melhor a turma?
- Ele foi egocêntrico na obtenção das assinaturas?
- Demonstrou disposição em doar, dando o seu autógrafo?
- Este mesmo aluno também deu um grande número de autógrafos ou ficou simplesmente colhendo as assinaturas e não se dispôs a assinar?
- Algum aluno conseguiu poucas assinaturas porque realmente não sabia quase nada sobre seus colegas?
- Outro aluno assinou pouco porque é um desconhecido para o grupo?

Esta dinâmica é muito interessante, porque, além de atrativa e movimentada, pode levar a uma reflexão quanto ao envolvimento do aluno no grupo e a sua postura naquele momento específico de dinâmica.

4 Adivinhe quem é?

A apresentação é uma técnica utilizada em sala de aula com o objetivo de aprofundar o conhecimento entre os alunos, procurando motivá-los a intensificar esses relacionamentos.

Para iniciar esta técnica, o professor deverá sortear duplas ao acaso (inutilizando-se, por exemplo, os números da chamada) e pedirá que os participantes de cada dupla se sentem um diante do outro, tendo em mãos papel e lápis.

O professor, então, ditará as frases a seguir para todas as duplas formadas, para que respondam considerando o parceiro que está à frente. Nesta folha tem de aparecer apenas a resposta. Não devem constar nem o nome da pessoa nem o do seu parceiro.

- *Exemplos:* Aqui estão alguns exemplos de frases. Dependendo do objetivo e do contexto da sala, o professor poderá fazer outras frases para serem completadas:

  - Parece-me uma pessoa que...
  - Sua maior qualidade parece ser...
  - Quando se encontra em dificuldade, a reação desta pessoa é...
  - Uma característica que facilmente a identifica é...

As pessoas respondem na folha distribuída pelo professor, completando estas frases relacionadas a seus parceiros, sem haver qualquer tipo de comunicação entre a dupla.

O professor, então, entrega uma nova folha para que cada um dos participantes responda às mesmas questões, agora, sobre a sua própria pessoa.

O professor recolhe as folhas, separando-as em duas pilhas: uma com as respostas pessoais e a outra com as respostas que caracterizam o parceiro da dupla.

O professor lerá, então, as respostas pessoais dos alunos. Estes discutirão, tentando identificar a quem se referem tais características. Depois de algum tempo, se o grupo não descobrir, a própria pessoa fará a sua identificação. Faz-se o mesmo até que todas as caracterizações pessoais sejam lidas.

Em seguida, faz-se a leitura dos papéis que descrevem o parceiro da dupla, para que novamente o grupo tente identificar a quem se refere. Se o grupo não conseguir identificar a pessoa, o parceiro da dupla que escreveu se manifestará, dizendo por que escreveu aquelas características com relação ao seu colega. Não é necessário ler todas as respostas. Dependendo de como estiver o interesse da classe e o seu envolvimento nesta técnica de conhecimento mútuo, o professor poderá ler um número maior ou menor de caracterizações.

5 Álbum de fotos

- *Material necessário*: Máquina fotográfica ou celular/computador.

- *Procedimento*: O professor marca um dia especial em que tira uma foto de cada aluno da turma. Depois, coloca-as num álbum na *internet* e as imprime para lembrar de orar por todo aluno que passa pela sua classe, e/ou fazer anotações e observações sobre características e necessidades do aluno.

6 Apresentações pessoais

Cada aluno deve se apresentar dentro de um tempo estipulado pelo professor. Pode responder a algumas perguntas básicas e iguais para todos, ou o professor pode fazer uma entrevista (perfil) de cada membro da classe. Dependendo do número de pessoas na turma, pode-se fazer algumas apresentações no início de cada aula ou todas de uma só vez.

7 Acendendo o fósforo

- *Material necessário*: Caixa de fósforos, com um fósforo para cada aluno. (Esta ideia é apropriada somente para grupos pequenos de adultos.)

- *Procedimento:* O professor distribui um fósforo para cada membro da classe. Cada um, por sua vez, acende o fósforo e faz uma apresentação pessoal, mas somente enquanto o fósforo estiver queimando. (Este quebra-gelo funciona especialmente bem quando há membros da classe que tendem a dominar a conversa, ou quando o professor quer garantir que a atividade não ultrapasse o tempo designado.)

8 O malsucedido

- *Material necessário:* Grãos de feijão, um copo para cada participante; prêmio.

- *Procedimento:* Cada participante recebe um copo com cinco ou mais grãos de feijão. Determine por sorteio a pessoa que deve dar início à brincadeira. Ela vai mencionar algo que NUNCA fez ou que NUNCA aconteceu com ela, mas que acredita que quase todos os demais já vivenciaram (p. ex., "Eu nunca fui reprovado numa matéria."). Cada pessoa que já passou por aquela experiência deve tirar um grão de feijão do seu copo. A brincadeira prossegue até que uma só pessoa ainda tenha grãos de feijão no copo. O "coitado" (malsucedido) do grupo, que nunca teve a oportunidade de passar pelas experiências mencionadas, tem direito a um prêmio.

9 Coleta de dados

- *Material necessário:* Um formulário preparado com antecedência com espaços a serem preenchidos pelos alunos.

- *Procedimento:* O professor distribui o "formulário" no primeiro dia de aula e pede que os alunos preencham as informações solicitadas, que incluem dados comuns e também áreas de interesse e outras informações relacionadas à aula. Por exemplo, uma aula para casais sobre "lar cristão" poderia usar uma ficha como esta:

Culto doméstico • *1º Trimestre, 20___*

DADOS PESSOAIS

Nome: _____ Aniversário: / /
Nome: _____ Aniversário: / /
Aniversário de casamento: / /
Filhos (nome e idade):
_____
_____

Endereço: _____
Telefone: _____
E-mail: _____
Há quanto tempo frequentam esta igreja? _____
Razões por que estão fazendo este curso:
_____
_____

Expectativas quanto ao curso:
_____
_____

Alguns pedidos de oração:
_____
_____

Ideias para captações e introduções

Os primeiros minutos de aula são os mais importantes. Por isso têm de ser bem planejados para estabelecer o tom da lição. Muitos professores desperdiçam esses momentos preciosos "enchendo linguiça", quando poderiam estar "enchendo corações". Uma boa captação inclui muitos, se não todos, os seguintes elementos:

- desperta interesse;
- mostra uma necessidade;
- estabelece o "tom" da lição;
- orienta o tópico ou texto;
- constrói uma ponte entre o texto e o aluno.

A seguir, algumas ideias que podem exercer essa função no início da aula.

10 Forca

Mesmo sendo uma brincadeira bem antiga, ainda funciona com quase qualquer grupo que sabe ler e soletrar. Focaliza a atenção numa palavra-chave (tema) da aula que o professor pretende desenvolver depois.

Há muitas variações, mas a essência do jogo é que os alunos terão de adivinhar uma palavra ou frase escolhida pelo professor, que desenha no quadro-negro um espaço para cada letra da palavra ou frase. O professor também desenha uma "forca" ao lado dos espaços em branco.

Pode dividir a turma em times, e os alunos começam adivinhando letras (normalmente não é permitido adivinhar vogais — a,e,i,o,u), cada time por sua vez. Um "chute" para adivinhar a palavra vale como a escolha de uma letra.

Se o aluno acertar a letra, o professor a escreve em cada espaço onde ocorre na palavra. Se errar, escreve a letra acima da forca (para os outros alunos não usarem de novo) e coloca uma parte do corpo humano na forca: cabeça, tronco, braços, pernas, mãos, pés. Ganha o time que acertar a palavra antes de ser "enforcado". Ganha o professor se nenhum time acertar antes de ser enforcado.

11 Soletrando

Ao mesmo tempo que serve como "quebra-gelo", este jogo também ajuda a introduzir um tópico a ser discutido na aula.

- *Material necessário:* Folhas de sulfite A4, divididas pela metade; uma letra deve ser escrita em cada folha, soletrando o tema (a palavra-chave) daquela aula. De preferência, a palavra deve ter no mínimo sete letras.

- *Procedimento:* Cada time recebe um "jogo" de folhas e as repassa aos seus membros. Um membro é escolhido como "secretário" para anotar as palavras formadas pelo time.

Dado o sinal, os membros do time precisarão se mexer para formar tantas palavras quanto possível, só usando as letras recebidas. Para valer, os membros do time têm de se deslocar e entrar numa fila, mostrando a nova palavra. Quanto maior a palavra, mais pontos recebe. Sugerimos que palavras com três letras recebam um ponto, com um ponto adicional para cada letra a mais usada (por exemplo, uma palavra de quatro letras receberia dois pontos; de cinco letras receberia três pontos etc.). As palavras formadas não devem ser nomes próprios. Não deve contar o singular de palavras já alistadas no plural, nem mudanças de pessoa e número de verbos já contados. Depois de um determinado limite de tempo (dois minutos?), os resultados devem ser avaliados. O professor pode dar um bônus se o time usar todas as letras, assim adivinhando o tema do dia. Também pode dar bônus se o time formar palavras relacionadas ao tópico sob discussão.

12 Charadas

Uma captação que certamente chamará a atenção da classe envolve uma "encenação" não verbal. No início da aula, sem ter falado nenhuma palavra, e com todos na expectativa de a lição começar, o professor se põe a dramatizar silenciosamente os eventos principais da história, uma aplicação da história ou, como normalmente é feito em "charadas", uma frase ou palavra-chave da aula que ele quer que os alunos gravem.

Neste último caso, o professor (ou algum membro da classe escolhido com antecedência) deve sinalizar com os dedos quantas palavras há na frase e/ou quantas sílabas na palavra. Pode dramatizar a palavra em si ou partes da palavra (sílabas) até que alguém adivinhe a frase corretamente.

13 Esquete

Uma das melhores maneiras de captar a atenção e focalizar o tema da aula com sua aplicação é por meio de um breve esquete. Pode ser sério ou engraçado, com ou sem diálogo, com ou sem introdução. Um grupo de alunos deve ser recrutado com antecedência e orientado pelo professor. O esquete deve construir uma ponte para a aula, destacar sua ideia central, levantar um problema que será resolvido ou sugerir uma aplicação do que será ensinado. Deve ser breve, objetivo, fácil de apresentar com o mínimo de preparação. Esquetes também servem para dinamizar uma parte da matéria que tende a ser cansativa. Por exemplo, em nossas aulas sobre o livro de Provérbios 1 a 9, o impacto é bem maior quando grupos de alunos representam seu conteúdo em esquetes do que quando o professor leciona sobre o valor da sabedoria capítulo após capítulo. Outros exemplos de esquetes usados para introduzir ou conduzir uma aula:

- Um esquete mostrando funcionários fazendo "corpo mole" quando o patrão está fora, mas dando duro quando ele está vigiando o trabalho (Cl 3.22; 4.1).
- Um esquete mostrando a figura do homem "macho" conforme o padrão do mundo (conquistador de mulheres, fumante, violento etc.) em contraste com a definição bíblica da verdadeira masculinidade (1Pe 3.7).
- Um esquete brincando e ilustrando as desculpas que as pessoas dão para não evangelizar.
- Um esquete mostrando formas de as crianças não obedecerem e honrarem seus pais.

14 Estudo de caso

O estudo de caso requer a formulação de uma situação verídica, que apresenta um problema a ser solucionado pelos alunos. O problema deve levantar uma necessidade ou criar um dilema, cuja resposta se encontrará na lição.

O "caso" pode ser contado, lido ou até filmado e apresentado aos alunos. Pode-se formar grupos pequenos para sugerir uma resposta ou fazer uma "tempestade cerebral", enquanto o professor anota as reações do grupo no quadro-negro.

No decorrer da aula ou no final, deve-se voltar ao estudo de caso para resumir a resposta bíblica ao acontecido.

15 Citações

Para audiências mais maduras, uma maneira simples, mas poderosa de "captar" sua atenção é com uma citação provocativa, engraçada ou especialmente relevante para o tema do dia. Logo em seguida, o professor pode conduzir um debate sobre a citação, uma "tempestade cerebral" ou até solicitar algum tipo de resposta por escrito.

Exemplos de citações apropriadas para a captação:

Nenhum sucesso na vida compensa o fracasso no lar.

As pessoas não se importam com quanto você sabe, mas com quanto você se importa.

A vida cristã é impossível de ser vivida por todos, menos Cristo. E ele quer viver sua vida através de nós.

Deus está mais interessado no que ele está fazendo EM nós do que ATRAVÉS de nós.

16 Nas paradas de sucesso

Esta é uma dinâmica interessante para ser utilizada principalmente com adolescentes, mas, para usá-la, o professor precisa estar bem atento no que a "moçada" anda ouvindo e cantando.

Uma música está nas paradas de sucesso, e todo mundo vive cantando o seu refrão, inclusive os jovens e adolescentes da igreja. Constantemente o professor os ouve cantando aqui e ali. Mas ele sabe que a letra da música não é conveniente para ser cantada por jovens crentes, e vai dar uma aula em que o tema se contrapõe a alguns itens que são mencionados naquela música que está nas paradas de sucesso.

Então o professor consegue um CD ou DVD com a música e a leva para a sala de aula, tocando-a num volume razoavelmente alto. Com certeza os adolescentes e/ou jovens se assustarão e ficarão "ligados".

Depois de ouvir a música, o professor poderá projetar a letra, para que discutam o que ela está transmitindo. Pode dividir em grupos para que os alunos tirem as suas conclusões. E como há partes da música ligadas ao tema da sua aula, introduzirá as verdades bíblicas com as conclusões a que os alunos estiverem chegando com relação à letra da música que estão cantando.

17 Pré-teste

Sempre que um professor for iniciar uma série de aulas, seria muito bom se ele pudesse fazer um pré-teste com os alunos para verificar o seu nível de conhecimento com relação ao tema que será exposto.

Este pré-teste pode ser por escrito, mas não deve ser difícil nem demorado, para não desestimular os alunos. As questões terão de ser objetivas (múltipla escolha, falso/verdadeiro, associação de uma coluna com a outra), todas bem fáceis e acessíveis aos alunos. Lembre-se: muitos deles não estudaram nada sobre aquele assunto, e o objetivo não é frustrá-los.

Com o resultado do teste em mãos, o professor poderá perceber quais os pontos em que ele terá de dar mais ênfase e quais são os itens sobre os quais os alunos já têm algum conhecimento. É interessante também para os alunos, porque eles, de um modo geral, perceberão a necessidade de estudar aquele tema durante a série de aulas.

Que tal repetir o mesmo teste ao final da série de aulas dadas? Será que o resultado será o mesmo?

Variação

- *Material necessário:* Uma série de afirmações controvertidas relacionadas à matéria e elaboradas com antecedência pelo professor.

- *Procedimento:* O professor faz uma série de afirmações e pede que os alunos anotem numa folha de papel se concordam ou não com as declarações. Estas podem até ser um pouco ambíguas, levantando algumas dúvidas. Depois, o professor pode "corrigir" as respostas, iniciando a discussão sobre cada item lido.

18 "Tempestade cerebral"

Este método talvez seja um dos mais antigos, mas ainda é extremamente apropriado. O professor levanta uma questão que admite várias respostas e pede que os alunos sugiram essas respostas tão rápido quanto possível. Durante a "tempestade cerebral" ninguém deve avaliar, criticar ou julgar as respostas. A crítica vem depois de encerrada a tempestade, quando o professor dirigir uma discussão sobre a questão.

- *Variação:* Em vez de fazer com a classe completa, o professor pode pedir que grupos de dois a quatro alunos anotem suas respostas à questão e depois compartilhem os resultados com a turma toda.

19 Acertando a ordem

Se a sua aula está relacionada a algum tema bíblico ou teológico que precisa ser ensinado na ordem cronológica correta, uma boa maneira de iniciar a aula é levar os alunos a darem a sua opinião sobre a ordem em que se deram aqueles acontecimentos.

O professor poderá afixar no quadro-negro e nas paredes da sala algumas folhas escritas ou desenhadas com os acontecimentos relacionados ao tema da aula. Os alunos deverão pegar as folhas (quantas desejarem) e tentar pôr os acontecimentos na ordem que julgam ser correta. O professor deverá deixar que os alunos coloquem as folhas no quadro-negro ou em uma parede predeterminada e não deve ajudá-los, dando a sua resposta ao final da exposição dos alunos, corrigindo e fazendo as suas observações.

O professor poderá, também, colocar estas folhas no fundo das carteiras ou das cadeiras dos alunos, que deverão pegá-las e tentar colocar os acontecimentos na ordem correta.

Exemplos de temas que podem utilizar esta captação:

- A ordem cronológica da segunda vinda de Cristo.
- A ordem cronológica dos principais eventos do Antigo Testamento.
- A ordem cronológica dos acontecimentos da vida de Cristo.
- A ordem cronológica de alguns acontecimentos das viagens de Paulo.

- A ordem cronológica dos livros do Antigo Testamento.
- A ordem cronológica de alguns personagens bíblicos.
- A ordem cronológica de alguns fatos relacionados à história da igreja.

Esta captação é uma forma de pré-teste. Com ele, o professor poderá se conscientizar de quanto os alunos estão "por dentro" ou não dos fatos relacionados àquele tema bíblico ou teológico. E dependendo do resultado do que foi exposto pelos alunos, poderá mostrar a importância e a necessidade de estudar aquele tema com a turma.

20 Na sua opinião...

Uma forma simples, mas muito eficaz de começar uma aula é deixar uma frase ou palavra escrita no quadro com letras bem grandes e coloridas (que chamem bem a atenção) antes de os alunos entrarem na sala de aula. Quando entrarem, verão o que está escrito e com certeza começarão a pensar a respeito. O professor dará o giz ou caneta (no caso de a frase estar escrita em uma folha de *flip chart*) a um aluno para que ele escreva o que lhe vem à mente quando lê aquela palavra ou frase. O aluno escreverá e dará o giz ou caneta a um colega, que escreverá o que desejar com relação ao tema proposto. Com a opinião dos alunos já escrita, o professor terá um bom material para iniciar a aula.

É imprescindível neste tipo de captação que o professor valorize o que os alunos escreveram, mesmo que não corresponda à sua expectativa. E com aquilo que foi escrito o professor deverá fazer uma "ponte" para o início da aula.

- *Exemplos:* Numa aula para adolescentes sobre relacionamento pais e filhos, o professor poderá simplesmente escrever no quadro-negro:

Minha família é...

Em outra aula sobre relacionamento familiar:
Eu me sinto feliz em minha casa quando...

Numa aula sobre mutualidade na igreja:
Eu me sinto realizado na igreja quando...

21 Quem é quem?

Este jogo pedagógico tem como objetivo averiguar o nível do conhecimento dos alunos em relação aos personagens bíblicos e criar uma curiosidade para se descobrir quem é determinado personagem. Pode ser utilizado como captação de uma aula sobre um personagem bíblico ou sobre um assunto em que aquele personagem tenha uma participação marcante.

O professor iniciará a aula dizendo aos alunos que eles deverão identificar o personagem bíblico através das perguntas que farão a um aluno, ao próprio professor ou a outra pessoa que faz o papel do personagem. Todas as perguntas feitas pelos alunos devem apresentar conteúdo que permita ao personagem apenas dois tipos de respostas: sim ou não.

Como devem ser feitas as perguntas

Começa o jogo, e um aluno, por exemplo, pergunta:

O personagem é homem?

Se o personagem diz sim, outra pessoa pode perguntar:

É um personagem do Antigo Testamento?

Se o personagem diz não, conclui-se que é um homem do Novo Testamento.

Este personagem teve algum contato pessoal com Jesus?

Se o personagem diz que sim, sabe-se que aquela história se encontra nos Evangelhos.

Continue assim até os alunos descobrirem quem é o personagem. Ao ser descoberto o personagem, o professor poderá dar início à sua aula, fazendo uma ligação entre o que foi perguntado pelos alunos e o que vai ser ensinado por ele.

22 Quebra-cabeça

Se a sua aula for a exposição de um único versículo, ou se este versículo for a base da lição, uma maneira interessante de começar a aula é ter todo o versículo afixado de uma forma bem grande na parede da sala. Mas, para fixá-lo, os alunos terão uma participação ativa.

O professor poderá escrever (à mão ou no computador) todo o versículo em algumas folhas de papel sulfite ou numa folha mais grossa. Depois, ele recortará este versículo com o objetivo de formar um quebra-cabeça. Quando os alunos chegarem à classe, as partes do versículo recortado estarão em cima da mesa ou no chão da sala, nas carteiras dos alunos ou até mesmo fixadas no quadro-negro.

O professor escolherá alguns alunos, ou eles se apresentarão como voluntários e pegarão as partes do versículo para formar o quebra-cabeça, fixando-o corretamente com uma fita crepe na parede. Quando terminarem, os alunos lerão juntos o versículo, assim como o professor, iniciando a aula.

É uma boa captação, principalmente se o tema da aula estiver relacionado a mutualidade, cooperação mútua, relacionamentos etc.

É uma captação interessante para ser utilizada com juniores, adolescentes e até com jovens, mas, dependendo da situação, até mesmo algumas salas de adultos participarão com interesse deste tipo de introdução à aula.

O quebra-cabeça pode ser utilizado não apenas na formulação de um versículo, mas também de uma frase, uma pergunta ou um pensamento que chame a atenção para o início da aula.

- *Exemplo:* O tema da aula é Romanos 3.23. Este versículo pode ser escrito e recortado assim:

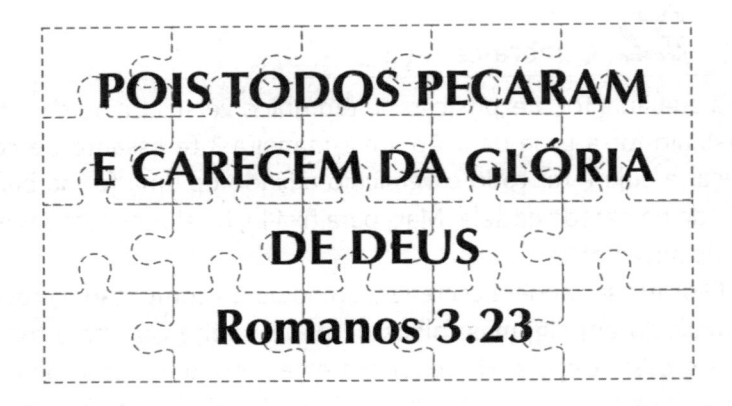

> **POIS TODOS PECARAM E CARECEM DA GLÓRIA DE DEUS**
> **Romanos 3.23**

23 Fotos ou gravuras

Esta é uma captação muito simples e pode dar um bom resultado ao chamar a atenção dos seus alunos ao tema que será exposto. Mas, para que alcance o objetivo esperado, é importante que seja uma foto bastante chamativa.

O professor poderá começar a aula mostrando uma foto projetada ou gravura e pedindo que falem o que lhes vem à mente quando veem a foto ou gravura. À medida que os alunos vão falando, o professor poderá anotar no quadro o que eles estão dizendo, ou simplesmente analisar as respostas.

Como as observações feitas pelos alunos levarão o professor a entrar especificamente no tema da aula, as fotos ou gravuras têm de ser bem escolhidas para que o assunto não seja desviado.

24 Votação[13]

Enquanto os alunos entram na sala, entregue uma folha a cada um com uma questão e de três a cinco opções de resposta. Peça que escolham UMA opção e devolvam seus votos em segredo. Depois, o professor deve verificar os votos e discutir com os alunos os resultados da votação e a razão por trás dos seus votos. A "votação" pode ser usada para estimular debate, provocar reflexão, analisar questões éticas e polêmicas e muito mais.

- *Um exemplo:* Como você reagiria se descobrisse que seu melhor amigo está usando drogas? Escolha UMA resposta que seria sua reação principal:

    ☐ (a) Orar por ele
    ☐ (b) Confrontá-lo na hora
    ☐ (c) Alertar seus pais
    ☐ (d) Chamar o pastor
    ☐ (e) Ficar quieto

25 Avaliação crítica[14]

- *Material necessário:* Gravação ou filmagem de um testemunho ou depoimento a ser avaliado pela classe.
- *Procedimento:* O professor deve gravar ou filmar um testemunho/declaração, verídico ou encenado, que revele atitudes, necessidades ou opiniões relevantes à matéria em estudo. Pode também usar múltiplas gravações para contrastar testemunhos diferentes. Depois de escutar ou assistir ao testemunho, os alunos devem discutir e anotar suas reações, críticas, sugestões etc.

- Exemplos de situações próprias para avaliação crítica:
  - Alguém justificando seu divórcio e novo casamento com sua secretária.
  - Alguém que se endividou e tentou se socorrer com agiotas e jogos de azar.
  - Um ateu listando as razões por que não crê em Deus.
  - Uma jovem cristã falando por que ela namora um descrente.

26 Histórias infantis

Algumas técnicas didáticas que parecem ser próprias somente para determinada faixa etária podem ser usadas ocasionalmente, com grande impacto, em outros grupos. Por exemplo, há muitas histórias que contamos para as criancinhas que contêm ótimas ilustrações de lições bíblicas. O professor pode iniciar sua aula com jovens ou adultos contando uma dessas histórias (de preferência, lendo diretamente do livro e mostrando os desenhos). Além da "nostalgia" da infância, vai construir uma ponte por um caminho inesperado para o conteúdo da aula naquele dia.

27 Oração por missões

- *Material necessário:* Material informativo com pedidos de oração por missões.[15]

A paixão missionária deve caracterizar todo o nosso ensino se somos verdadeiros discípulos de Jesus. Em última análise, o ensino que é verdadeiramente cristão seguirá o coração de Cristo, e o ensino de Cristo foi um ensino missionário: *Ao ver as multidões, teve compaixão delas, porque estavam aflitas e desamparadas, como ovelhas sem pastor. Então disse aos seus discípulos: "A colheita é grande, mas os trabalhadores são poucos. Peçam,* pois, *ao Senhor da colheita que envie trabalhadores para a sua colheita*" (Mt 9.36-38, NVI). Uma das maneiras de tentar manter o coração dos nossos alunos batendo por missões é por meio da oração missionária, como parte da nossa aula. Gostamos de iniciar as nossas aulas com um recurso visual, listando alguns fatos sobre um determinado país do mundo (população, analfabetismo, capital, renda *per capita*, línguas, religiões, número de evangélicos, missionários etc.) seguidos por alguns pedidos de oração. Essa prática ajuda a todos — professor e alunos — a manter a realidade e necessidade do mundo sempre diante de si. Também promove um espírito de gratidão pelos privilégios do evangelho que temos.

- *Variação:* Um ótimo projeto missionário para uma classe seria a "adoção" de um missionário no campo. A classe pode enviar cartas, pacotes simples e até mesmo participar no sustento do missionário por quem já está orando.

28 Canto

Às vezes, temos medo de usar uma das mais bíblicas e fáceis técnicas para iniciar uma aula — a boa música. O canto une, inspira e direciona os pensamentos em direção a Deus. Que maneira melhor para começar uma lição bíblica? Verifique se a letra da música é apropriada e doutrinariamente sã, e que a música seja conhecida ou suficientemente fácil de aprender. Projete a letra e, se for possível, providencie alguém para acompanhar com violão ou outro instrumento.

Ideias para dinâmicas de ensino

Este capítulo é o maior do livro e contém o que consideramos as ideias essenciais para garantir um ensino dinâmico.

As ideias que se seguem foram divididas em categorias. Uma ou outra ideia poderia ser incluída em mais de uma categoria, mas a classificamos conforme sua "afinidade" maior.

As categorias são:
- Dramatizar
- Discutir
- Escrever
- Pesquisar

DRAMATIZAR

29 Dramatização/teatro

O drama tem um impacto no intelecto, na emoção e na vontade, que recompensa em dobro o professor que utiliza um pouco mais de tempo em seu preparo. O drama funciona com todas as idades, mas é a técnica preferida no trabalho com jovens e adolescentes. O drama pode ser extremamente simples, feito na hora e sem preparo, palco ou material de apoio, ou pode ser uma produção teatral, exigindo semanas de ensaio.

Cabe ao professor elaborar um plano sobre a situação a ser dramatizada — seja um evento ou história bíblica, seja uma situação contemporânea que aplica um princípio bíblico. Deve recrutar os "atores" (de preferência, voluntários) e dar o tempo e a orientação suficientes para eles se sentirem à vontade em seus papeis. O professor estabelece um limite de tempo para a dramatização (já ciente do fato de que normalmente o drama demorará mais do que imaginava).

Praticamente toda lição possui algum elemento que pode ser dramatizado. Isso não significa que o professor deve usar o drama toda semana, pois terá de ter discernimento para saber quando utilizá-lo. Esta técnica, porém, despertará até alunos menos interessados na matéria.

- *Perigo à vista:* Uma imaginação "santificada" tem grande valor, mas deve ser orientada pelo texto bíblico. O professor precisa guiar os alunos para que a dramatização fique dentro dos parâmetros bíblicos e do bom gosto.

- *Variação 1:* Divida a turma em vários grupos e peça que cada grupo apresente um esquete dramatizando um aspecto da lição.

- *Variação 2:* Faça um concurso entre os grupos para ver qual consegue a melhor apresentação.

30 Monólogo

Determinados temas bíblicos podem ser melhor apresentados na forma de um monólogo. Em vez de fazer uma preleção sobre o assunto ou simplesmente lecionar sobre um personagem bíblico, o professor pode se caracterizar como o personagem e contar a história bíblica, com todos os ensinos e aplicações práticas do ponto de vista do personagem.

Para que o objetivo seja alcançado, o professor terá de se preparar bem para esta aula. Terá de estudar com afinco o texto bíblico, obtendo o maior número de informações possíveis com relação ao tema que será apresentado. Além disto, terá de transformar as informações num texto que será exposto como um monólogo. E terá de utilizar um bom tempo estudando o texto (se possível, até mesmo decorando-o), para que a apresentação seja feita de uma forma dinâmica e interessante. O ideal seria que o professor fosse vestido a caráter. Exemplos de temas que podem ser apresentados num monólogo:

- Pedro contando como foi a sua vida ao lado do Senhor Jesus, e como foi capaz de traí-lo.
- A história da moabita Rute.
- Oseias falando da sua experiência conjugal com Gômer.
- Davi narrando como caiu no pecado de adultério com Bate-Seba.
- José contando como se livrou da tentação com a mulher de Potifar.

Há inúmeras possibilidades de temas. É importante que, ao fazer a sua narrativa, o professor não fale apenas dos acontecimentos, mas acrescente preciosas lições práticas no decorrer do monólogo.

31 Jogral

A criação de jograis pode dinamizar uma aula sobre uma história ou um texto já muito conhecido pelos alunos. Eles verão o texto como nunca viram antes.

Não é necessário utilizar recursos profissionais, embora também sejam úteis. E não é preciso marcar muitos ensaios, mas os leitores devem ter a chance de treinar algumas vezes antes de se apresentarem diante da turma.

O professor divide um texto em partes, designando leitores com números e fazendo uma cópia da seleção para cada um. Com um pouco de criatividade, pode-se criar um texto com bastante impacto através de leituras alternadas e em conjunto.

Com prática, os alunos desenvolverão habilidades de expressão, contato com os olhos e outras técnicas de leitura dramática.

Veja o exemplo a seguir do Salmo 23, da Bíblia Atualizada:

1 O SENHOR é o meu pastor;
2 Nada me faltará.
3 Ele me faz repousar em pastos verdejantes.
4 Leva-me para junto das águas de descanso;
1 Refrigera-me a alma.
2,3 Guia-me pelas veredas da justiça
1,4 Por amor do seu nome.
1 Ainda que eu ande pelo vale da sombra da morte,
2 Não temerei mal nenhum,
TODOS: Porque tu estás comigo;
3 O teu bordão e o teu cajado me consolam.
4 Preparas-me uma mesa na presença dos meus adversários,
1 Unges-me a cabeça com óleo;
4 O meu cálice transborda.
2,3 Bondade e misericórdia certamente me seguirão todos os dias da minha vida;
TODOS: E habitarei na Casa do SENHOR para todo o sempre.

32 O que está errado?

Esta técnica de ensino nasceu em casa, na hora do dia mais esperada pelos nossos filhos: a leitura de histórias bíblicas. Mesmo com uma coleção razoavelmente grande de histórias infantis, não demorou muito e nossos filhos memorizaram o texto de cada uma, de cor e salteado. Então, para que a leitura não ficasse rotineira, começamos a substituir alguns detalhes ou nomes na história por outros, errados. Como despertou a atenção das crianças! Ficaram atentas para descobrir como e quando papai iria errar a história. E os detalhes do texto foram gravados ainda melhor.

Use esta técnica com classes de crianças quando você desconfia de que a história da lição é tão bem conhecida que quase se tornou cansativa. Use-a também para despertar mais interesse nos detalhes da história, que às vezes passam despercebidos.

33 Fantoches

Fantoches, sejam eles comerciais ou feitos em casa, captam o interesse e transmitem lições de forma agradável. Embora seu uso principal seja com crianças, o professor de adultos não deve descartar esta técnica didática com sua classe também.

Um grupo de alunos ou de convidados pode ser convocado para apresentar uma pequena peça que introduz ou transmite a lição do dia. Fantoches simples também podem ser feitos em classe, e a lição, encenada por voluntários como forma de recapitulação da matéria.[16]

Também existem DVD's com peças bíblicas para fantoches. Verifique em sua livraria evangélica.

34 Fazendo o papel

Nesta atividade, os alunos terão oportunidade de explorar sentimentos e atitudes envolvidos numa história e também lutar com "a vida real", ao tentar resolver um problema ou dilema. O professor deve "preparar o palco" para que todos entendam a situação ou cena de fundo de uma história bíblica. Depois, escolher dois ou três "atores" que, sem ensaio, farão o papel dos vários personagens envolvidos na cena. (Pode dar alguns minutos para eles se prepararem e combinar alguns detalhes simples entre si. O professor precisa verificar que cada um entenda exatamente qual o papel que deve desempenhar no esquete.) Os atores devem "fazer o papel", assumindo a personalidade, sentindo as emoções, dramatizando as reações das pessoas envolvidas. "Fazendo o papel" ajuda muito a classe a vivenciar os eventos da história.

O minidrama deve continuar por um a cinco minutos. O professor deve interrompê-lo quando o ponto principal já foi feito e as emoções continuam fortes. Não deve esperar demais depois do clímax da apresentação para fazer a ponte para a aula.

No final, deve haver uma discussão com a classe sobre as descobertas feitas, as emoções sentidas e as lições aprendidas. Pode-se "entrevistar" os próprios atores, perguntando o que sentiram e por que agiram daquela maneira.

Exemplos de situações próprias para "fazer o papel":

- Maria explicando para seus pais que estava grávida.
- O filho pródigo com seu pai e irmão mais velho um dia depois da festa.
- Zaqueu explicando a seus familiares por que está dando dinheiro aos pobres.
- Um jovem tentando compartilhar o evangelho com seus colegas no time de futebol.

- Um funcionário cujo chefe pediu que ele mentisse ao telefone.

35 Transmissão via rádio (TV)

Exige mais preparo, mas os resultados dessa encenação valem a pena. O próprio professor pode preparar um texto, ou desafiar alguns alunos a pesquisarem e escreverem uma matéria. A transmissão pode ser "ao vivo", gravada ou lida como se fosse o "Jornal da noite". A reportagem pode incluir:

- depoimentos de testemunhas de eventos bíblicos;
- entrevistas com personagens bíblicos;
- notícias coincidentes com histórias bíblicas (dando informações importantes de cena de fundo, contexto cultural etc.);
- elementos humorísticos (esportes, previsão do tempo etc.).

Alguns exemplos de histórias bíblicas apropriadas para uma "transmissão via rádio":

- Noé construindo a arca;
- Josué e os israelitas em marcha esquisita ao redor de Jericó;
- Jonas chegando a Nínive;
- O rei Davi sendo expulso da capital pelo próprio filho;
- A entrada triunfal de Jesus em Jerusalém.

36 Símbolos

A essência da criatividade envolve associações novas e a concretização de conceitos abstratos. Símbolos visíveis e manuais têm grande poder para atingir esses dois objetivos, fato reconhecido já há muito tempo pelos adeptos da linguagem dos deficientes auditivos.

Temos aproveitado esse poder dos símbolos na sala de aula e até mesmo em discursos e pregações. Também usamos símbolos para designar períodos de história e panorama geográfico. Símbolos servem ainda para marcar os pontos principais de um sermão ou uma aula. Basta um pouco de criatividade para tornar o abstrato em algo concreto e, assim, memorável e memorizável.

37 "Peregrinando..."

Pode exigir mais criatividade e preparação, mas "Peregrinando" gravará para sempre o conteúdo de uma aula em que geografia tem papel significativo. O professor precisa primeiro fixar bem em sua própria mente um mapa de acontecimentos bíblicos, lugares e distância relativa entre eles. Deve desenhar tudo numa folha de papel.

Segundo, precisa juntar objetos que representem a topografia e/ou os eventos e personagens da história. Esses devem ser montados na classe ou, de preferência, num espaço maior, como um pátio, ginásio ou ao ar livre. Quando a turma se congrega, o professor conta a história com referência a esse mapa "3-D", andando entre os lugares e mostrando o que aconteceu e onde.

Depois de passar duas ou três vezes pela história dessa maneira, o professor deve eleger algum aluno para fazer o mesmo, repetindo a experiência até que todos tenham gravado os detalhes.

Temos usado esta técnica na matéria de Panorama Bíblico para relacionar geografia, personagens e eventos principais do Antigo e do Novo Testamentos. Mas também pode ser usada para contar a vida de Cristo, as viagens de Paulo, o êxodo, o cativeiro babilônico, a história da Reforma da igreja e muito mais.

DISCUTIR

38 Entrevista (convidado especial)

Se não fosse tão frustrante, seria engraçado. Um filho adolescente chega em casa com uma "grande ideia" — um conselho que ouviu de um professor, colega ou líder da mocidade. Compartilha com seus pais como se nunca tivesse ouvido sobre o assunto. Só que repete algo que os pais têm falado para ele ao longo de muitos anos!

Esse é o poder de uma entrevista com um "convidado especial". Pode até repetir o mesmo conteúdo do professor, mas o fato de que vem de um "expert" produz milagres. Também vai longe para reforçar aspectos práticos da matéria.

Obviamente, a pessoa convidada deve partilhar de uma perspectiva semelhante à do professor, a não ser que o propósito seja apresentar um ponto de vista contrário.

O convidado não precisa necessariamente ser entrevistado, embora muitos se sintam bem mais à vontade numa entrevista. As perguntas devem ser preparadas e entregues com antecedência ao convidado. Evite demorar em uma única pergunta e mantenha a entrevista viva e interativa com a participação da audiência.

39 Entrevista (personagem bíblico)

Uma técnica dinâmica e envolvente utiliza os alunos para a realização de uma entrevista com algum personagem bíblico. Em vez de simplesmente dar uma preleção sobre determinado acontecimento ou personagem, o professor apresenta o conteúdo da aula por meio de uma entrevista. Utilizando as respostas do entrevistado, o conteúdo bíblico é transmitido de uma forma muito envolvente.

O professor, com antecedência, seleciona dois alunos para que participem da preparação da aula. Junto a estes alunos o professor estuda o texto bíblico, elabora as perguntas, bem como as respostas. Muitas informações do contexto da época devem ser mencionadas nesta entrevista, para dar uma cena de fundo mais real dos acontecimentos. Pode haver liberdade para expor sentimentos, mesmo que não os encontremos no texto bíblico, dando um maior dinamismo à aula. Ajudará muito se os alunos puderem ir vestidos com roupas típicas da época.

Se o professor quiser ser bastante convincente e não tiver nenhum aluno que possa ser o entrevistado, então, ele mesmo poderá fazer este papel, e um aluno será o entrevistador.

- *Exemplos:* Algumas situações bíblicas que podem ser facilmente ensinadas por meio de entrevistas:

- Moisés explicando por que não entrou na Terra Prometida.
- Davi contando, da sua perspectiva, como foi que caiu no pecado do adultério e como suportou as consequências deste pecado.
- José, sendo entrevistado no Egito, falando como ele chegou a ser o segundo homem na terra de Faraó.
- Depois da conversão do povo de Nínive, Jonas é entrevistado e conta a sua versão da história e tudo o que passou até chegar ali.

Os entrevistados têm de demonstrar muita emoção, para que haja um maior realismo, mas não podem deixar de ser bíblicos. As próprias implicações e aplicações práticas podem ser retiradas da entrevista. Se o aluno estiver bem preparado, ele poderá responder a "mensagens de texto" e "e-mails" enviados pelos "telespectadores" que querem obter maiores informações do entrevistado.

40 Painel

Enquanto a entrevista aproveita a presença de UM convidado especial, o painel requer um número maior de "especialistas". Um painel de "experts" quase sempre enriquece uma matéria, dinamizando-a e acrescentando dimensões que vão além da experiência do próprio professor. Funciona bem a qualquer altura do semestre, mas serve muito no final do curso para recapitular tópicos estudados, reforçar o valor da matéria e acrescentar ideias sobre como a "teoria funciona na prática".

Um número limitado (talvez três ou quatro) de "experts" em determinado assunto deve ocupar cadeiras num semicírculo na frente da turma, com espaço para um moderador. As perguntas devem ser preparadas com antecedência e, na medida do possível, entregues aos membros do painel antes do encontro. O professor pode desafiar os próprios alunos a prepararem perguntas no decorrer do semestre, entregando-as antes da data do painel.

O professor deve conhecer bem as pessoas que pretende convidar, sua experiência e aptidão, bem com suas posições doutrinárias. Não quer a surpresa de alguém que desmontará tudo que foi construído durante um semestre! Precisa entrar em contato com seus convidados com bastante antecedência e informá-los sobre o tópico, as perguntas e outros dados úteis.

O painel não é necessariamente um debate ENTRE os participantes, mas uma oportunidade para esclarecimento de dúvidas, ilustração da prática de teoria e exposição de novos ângulos do assunto. O moderador deve verificar que nenhum convidado domine o tempo, e que as perguntas sejam sabiamente distribuídas entre o painel.

41 Painel de debates

Há muitos temas teológicos na Bíblia sobre os quais, aparentemente, existem posições divergentes. Estes temas são de interesse particular dos jovens. Eles gostam de estudar estes assuntos, principalmente quando estão em forma de discussão, e têm interesse em se posicionar e mostrar a lógica das suas posições. Diante dessa realidade, um professor de jovens deve estar aberto a promover, de vez em quando, em suas aulas, um painel de debates, em que os alunos terão toda a liberdade de falar e perguntar. Algumas sugestões de temas a serem utilizados no painel de debates:

- Predestinação ou livre-arbítrio?
- Cristo morreu por todos os homens ou apenas pelos eleitos?
- O uso do véu é para os nossos dias?

Procedimento do painel de debates

O professor deverá selecionar alguns alunos, formando uma equipe (de três a quatro alunos), para que eles possam se preparar devidamente para o debate, no mínimo uma semana antes. Ao selecioná-los, também estabelecerá qual será o ponto de vista defendido pela equipe.

Os alunos deverão preparar os seus argumentos, buscando uma fundamentação bíblica e teológica para aquilo que apresentarão. Quanto mais conteúdo bíblico, lógica e coerência teológica, maior será a capacidade de vencerem o debate.

No início da aula em que acontecerá o painel de debates, o professor reapresentará o tema e estabelecerá as regras fundamentais da participação das duas equipes encarregadas de defender posições contrárias quanto àquele tema. Todos os demais farão parte da plateia, e durante a aula serão chamados à participação.

Começa o painel de debates
- Apresentação dos argumentos da equipe "A", sem direito a réplica.
- Apresentação dos argumentos da equipe "B", sem direito a réplica.
- Perguntas da equipe "A" para a equipe "B".
- Perguntas da equipe "B" para a equipe "A".
- Perguntas do plenário para a equipe "A", com direito a réplica.
- Perguntas do plenário para a equipe "B", com direito a réplica.

É fundamental o estabelecimento do tempo para cada uma destas fases, para que o debate não se torne enfadonho ou monótono. A agilidade é muito importante para o sucesso deste tipo de dinâmica.

O julgamento
Após esta fase, acontecerá uma das etapas mais importantes do painel de debates: o julgamento. Deve-se deixar bem claro que o que estará sendo julgado não é a capacidade de argumentação ou de discussão daqueles que apresentaram, mas sim o argumento e a tese de cada uma das equipes.

O professor entregará uma pequena folha de papel a cada pessoa da plateia para que vote no argumento que considera mais bíblico e mais correto teologicamente com a apresentação das duas equipes.

A plateia dá o seu voto e o professor faz a apuração dos resultados, declarando a equipe vencedora.

Lido o resultado da votação, o professor terá uma parte muito importante. Será que o veredicto foi o mais bíblico? Se foi, tudo bem.

Os participantes de uma ou outra equipe estavam mais preparados e, portanto, mais convictos? Foram mais claros na defesa de suas ideias? A sua base teológica foi mais convincente? Foram mais bíblicos?

Aproveitando bem o tempo, não permitindo muita demora, o professor poderá levar toda a turma a se empolgar com o tema, envolvendo-se e participando ativamente de todo o processo.

42 Fórum

O fórum é uma dinâmica muito interessante e que pode ser utilizada para temas controvertidos, mas que sejam de interesse para o grupo específico. O professor faz a apresentação do tema e levanta algumas questões, sem, contudo, respondê-las. O objetivo de levantar as perguntas é suscitar o interesse dos alunos, ao reconhecer que há perguntas difíceis de serem respondidas e que pode haver diferentes opiniões quanto àquele assunto.

Algumas sugestões de temas que podem ser utilizados em um fórum:

- Aborto
- Divórcio
- Eutanásia
- Feminismo
- Posição da mulher na igreja
- Planejamento familiar

O professor convida um especialista ou uma pessoa que já se dedicou a estudar aquele assunto. A boa escolha desse especialista é fundamental, pois dará autoridade ao que está sendo proposto. Mas é muito importante que o professor conheça a posição do mesmo, para que não seja divergente do que o professor ensina e daquilo em que a igreja crê.

Quando o especialista terminar a sua exposição, os próprios alunos formularão perguntas sobre o tema. Estas serão feitas por escrito e entregues ao professor, que, então, as fará ao especialista. O professor poderá "filtrar" as perguntas, selecionar algumas, bem como reunir as que tenham o mesmo conteúdo.

O período de tempo para a exposição do tema, bem como para as perguntas e respostas, deve ser previamente estabelecido.

Diante de dúvidas específicas dos alunos, o especialista também pode propor algumas questões para que os alunos se posicionem a partir do que foi exposto na aula.

43 Debate aberto

Uma forma interessante de apresentar temas contraditórios é por meio de um debate aberto. O professor convida algumas pessoas que têm posições diferentes quanto a um tema específico e elas terão a oportunidade de expor o seu ponto de vista e debater algumas ideias quanto a este tema. O ideal é que haja em média quatro convidados.

Procedimento

O professor fará uma pequena exposição do tema em debate, logo chamando cada um dos convidados para tomar assento à frente e fazendo as devidas apresentações.

Depois, o professor determinará um tempo específico para que um dos convidados faça a exposição do seu ponto de vista, sem ser interrompido ou questionado por nenhum dos outros participantes. A seguir, dá-se um tempo para réplicas ou perguntas. O mesmo se faz com relação a todos os convidados.

Enquanto está acontecendo o debate aberto, os alunos podem participar da discussão fazendo perguntas específicas a um dos convidados ou a qualquer um que o professor designar. As perguntas deverão ser dirigidas ao professor, que as "filtrará" e as encaminhará ao plenário em discussão.

- O debate aberto tem a vantagem de ouvir um determinado ponto de vista exposto por uma pessoa convicta da sua posição, que a apresentará sem nenhum tipo de constrangimento. Mas, ao mesmo tempo, deve-se ter firmeza da sua posição e das outras que serão apresentadas, devido às perguntas e discussões que poderão surgir.

Dificuldades
- Um ponto negativo é que o aluno assistirá passivamente ao que for apresentado. A sua única participação será através de perguntas. Mas, ao mesmo tempo, isso dará condições para que faça uma opção mais sustentável entre as diversas posições apresentadas.
- Outro ponto negativo neste tipo de dinâmica é que o aluno pode tomar uma posição com base no carisma e eloquência daquele que está expondo as suas ideias, e não na solidez, coerência bíblica e teológica e profundidade dos argumentos que estão sendo apresentados.

44 Tribunal

Uma forma interessante de estudar um tema controvertido é por meio de uma exposição discutida através de um tribunal. Este tipo de técnica será de grande valor se soubermos utilizar bem os elementos de um tribunal: o juiz, um advogado de defesa, um promotor e os jurados.

Esta dinâmica poderá ser usada para julgar determinados personagens bíblicos. Um advogado fará a defesa do personagem e o promotor levantará as acusações, tudo baseado em textos bíblicos e com argumentos teológicos. Exemplos:

- O pecado de Adão
- A desobediência de Jonas
- A negação de Pedro etc.

Mas este tipo de dinâmica poderá, também, envolver bastante a atenção dos alunos quando os temas tratados forem relevantes e atuais. Exemplos:

- Bebida alcoólica
- Divórcio
- Aborto

Em todos estes temas, o juiz deverá expor o assunto a ser tratado para todos os alunos. Se for o estudo de um caso específico, o próprio réu poderá ser representado por um dos alunos. Depois de exposto o caso, dá-se a oportunidade para o advogado levantar a defesa do réu, no máximo em dez minutos. O promotor, então, tem o direito à réplica. Após este momento, dá-se tempo igual para que o promotor faça as suas acusações, e então para que o advogado faça a réplica.

Para o julgamento ficar mais interessante, tanto o advogado quanto o promotor podem trazer algumas pessoas para testemunharem com relação àquele assunto.

Após o julgamento, dá-se um tempo para que os jurados conversem sobre o tema. Os jurados podem ser todos os alunos (o que é melhor, pois assim todos participam) ou uma parte deles. Depois de algum tempo de discussão, os alunos apresentam os seus votos ao juiz, de preferência por escrito. Depois disto, o juiz contará os votos e dará o veredicto com a sentença de condenação ou absolvição do réu.

Cautela
Para que este tribunal tenha o efeito esperado, é muito importante que tanto o advogado quanto o promotor estejam muito bem preparados com as suas teses. Estas devem ser defendidas usando-se os argumentos bíblicos e raciocínios teológicos. Por isso, eles devem ter um bom tempo de preparo para poderem expor as suas ideias com muita clareza e persuasão. O ideal é que o resultado do julgamento seja baseado em argumentos discutidos, e não no poder de persuasão do advogado ou do promotor.

É muito importante o acompanhamento do professor nesta preparação, ajudando os alunos na seleção dos textos bíblicos específicos que darão boa sustentação na exposição de seus argumentos. Deve haver, no mínimo, uma semana para o preparo.

Dificuldades
- Um dos problemas neste tipo de dinâmica é que a grande maioria dos alunos torna-se ouvinte a maior parte do tempo. Por isso, é muito importante o envolvimento deles como jurados.
- Outra dificuldade é que, se um dos que estiverem à frente do tribunal não souber argumentar bem, poderá "estragar" toda a dinâmica. Por isso, é de fundamental importância a escolha daqueles que estarão participando mais ativamente.
- Outro problema sério neste tipo de dinâmica é se os alunos, convencidos pela boa argumentação do advogado ou promotor, derem uma sentença contrária ao ensino específico

do professor sobre o assunto. Por isso, é muito importante a participação final do professor esclarecendo dificuldades e dando o seu veredicto particular.

45 Mesa-redonda

Este é o tipo de dinâmica ideal para uma sala de aula que tenha poucos alunos (variando de 10 a no máximo 15 alunos). O professor propõe um tema controvertido para discussão numa próxima aula e pede aos alunos que se preparem adequadamente para esta mesa-redonda. Os alunos deverão pesquisar sobre o assunto proposto pelo professor e trazer o conteúdo da pesquisa e as conclusões para serem discutidas em aula.

Os temas úteis para este tipo de dinâmica são os mesmos exemplificados no Fórum, no Tribunal e no Painel de Debates.

O professor deverá formar um círculo com as carteiras para que os alunos possam ficar de frente uns para os outros.

O professor expõe novamente o tema a ser discutido e levanta alguns problemas, controvérsias ou questionamentos quanto ao assunto específico, que justifiquem aquela mesa-redonda.

Logo depois, deixa o assunto para ser discutido pelos alunos. Qualquer aluno pode levantar a mão pedindo a vez para discutir o tema. O professor vai anotando a ordem que deve ser seguida para que os alunos possam expor as suas opiniões.

O professor deve estipular o tempo que cada aluno terá para dar a sua opinião.

A mesa-redonda durará até que todos tenham apresentado a sua opinião e os seus argumentos.

Se o professor perceber que os argumentos levantados não são suficientes para o tema em debate, deverá levantar alguns questionamentos para que os alunos continuem dando as suas opiniões e posições.

Cuidados

- Um perigo muito grande neste tipo de dinâmica é que os alunos podem expor as suas ideias com base apenas no que eles acham sobre o assunto, sem nenhum fundamento bíblico ou teológico. Por isso, o professor deve estar sempre atento aos argumentos dos alunos, pedindo que apresentem uma base bíblica para aquilo que estão expondo.
- Outra dificuldade é quanto ao envolvimento e participação dos alunos. Sempre haverá dois ou três que dominarão o debate. O professor deverá controlar a exposição destes para que possa haver uma participação mais uniforme. Por outro lado, deverá estimular a manifestação daqueles alunos que se mantêm à margem do debate e dificilmente dão a sua opinião.

Finalização

A participação do professor ao final da mesa-redonda é de fundamental importância, pois ele terá de "fechar" o assunto, considerando tudo o que foi exposto e discutido pelos alunos. Ao terminar a mesa-redonda, ele dará a sua posição baseando-se no que foi discutido e nas suas considerações pessoais, tendo como fundamentos textos da Palavra de Deus.

46 Advogado do diabo

Esta técnica exige muito preparo para não sair errado. A ideia básica é que o professor assumirá uma posição antagonista a uma doutrina ou um ensinamento bíblico, e algum membro da classe terá de defender a verdade. O professor deve escolher um ou mais alunos capazes e preparados para defender a posição bíblica. Ao mesmo tempo, terá de tomar cuidado para não "acabar" com o aluno nem com o texto bíblico!

(É melhor que o professor adote a posição contrária; senão, a turma pode torcer por algum aluno colocado nessa posição!) Através de um diálogo ou até mesmo debate diante da turma, o professor coloca argumentos e obstáculos contra a posição bíblica.

O valor desta técnica é que força os alunos a examinarem e defenderem sua fé diante dos mesmos argumentos que ouvirão fora da sala de aula, num ambiente menos amigável. No final do diálogo, o professor deve analisar com os alunos os argumentos dados e a melhor maneira de responder a eles.

47 O que você faria?

Semelhante ao estudo de caso, esta ideia força o aluno a tomar decisões éticas e morais em situações bem concretas do dia a dia. O professor cria uma série de situações (semelhantes às do estudo de caso) e escolhe um aluno para ler uma situação para a classe. O professor pergunta ao aluno: "O que você faria?" O aluno deve dar sua resposta, com apoio bíblico se possível. Se precisar de ajuda, pode escolher outro aluno para "socorrê-lo". Depois, todos devem participar da discussão.

- O namorado da sua melhor amiga escreve um bilhete dizendo que ele gosta mais de você. O que você faria?
- Você está passando pela casa de um líder da igreja quando ouve uma discussão com ameaças. O que você faria?
- Seus pais dizem que não gostam de um novo amigo que você acabou de fazer. O que você faria?
- Um grupo de amigos decide sair depois das aulas e "encher a cara". O que você faria?

48 Conversação circular[17]

Esta ideia para discussão encoraja a participação de todos. A classe deve ficar em círculo. O professor faz uma afirmação, e os alunos precisam apresentar sua opinião inicial em uma sentença ou duas, começando num ponto do círculo e seguindo em sentido horário. Cada pessoa precisa apresentar sua opinião, e pode haver concordância ou discordância com as perspectivas anteriores. Só pode falar quando chegar a vez, e depois não pode pedir a palavra de novo. O professor precisa manter controle da discussão, não permitindo que um membro fale demais ou que interrompa a "conversação circular". Quando oportuno, deve inserir comentários ou perguntas para focalizar a discussão ou esclarecer um ponto.

Exemplos de afirmações polêmicas que podem causar discussão:

- As pessoas que nunca tiveram chance de ouvir o evangelho não vão para o céu.
- Deus elege algumas pessoas para salvação eterna e outras pessoas para a perdição.
- O neném que morre vai para o céu.

49 Problema/solução

O professor que tem alunos com uma certa maturidade pode estruturar sua aula em torno da criação de problemas que requerem uma resposta bíblica. Os alunos são divididos em grupos pequenos. Cada grupo recebe um texto que vem acompanhado de um princípio bíblico sobre o tema em estudo. A tarefa? O grupo precisa estudar o texto e o princípio, e imaginar um dilema na vida real (um "estudo de caso") que envolva aquele princípio. O grupo deve produzir uma resposta com os passos de aconselhamento bíblico que daria para ajudar a pessoa naquela situação. Depois de determinado tempo, todos os grupos devem compartilhar sua situação e a maneira de resolvê-la.

ESCREVER

50 Provérbio do dia

Normalmente, toda aula (assim como toda pregação, devocional etc.) tem uma ideia central que o professor quer transmitir. Às vezes, custa para articular esse ponto principal — uma ideia simples, abrangente, fácil de lembrar e significante. Escrever o "provérbio do dia" visa a treinar os próprios alunos a resumirem a ideia principal da aula num provérbio que eles mesmos vão criar.

Antes do final da aula, peça que todos tentem elaborar um "provérbio" original que reflita a ideia principal daquela lição. Dê cinco a dez minutos para essa atividade e depois peça que os alunos formem grupos para compartilhar suas ideias. Os melhores provérbios devem ser lidos diante da turma (e guardados pelo professor!). Alguns exemplos de "provérbios originais" que resumem textos bíblicos:

- O líder que não serve não serve (Jo 13).
- Quando sou forte, então é que sou fraco (Pv 16.18).
- Antes que cases, vê o que fazes (2Co 6.14).

51 Parábolas modernas

Um exercício desafiador para alunos mais capacitados exige a elaboração de uma história contemporânea que reflita uma parábola ou outra história bíblica. Esta técnica força o aluno a trabalhar com a difícil tarefa interpretativa de atravessar a ponte entre o significado bíblico e a aplicação prática. Funciona muito bem com aquelas histórias tão bem conhecidas, que não têm mais o mesmo impacto de antes.

O professor pode dividir a turma em grupos ou pedir um trabalho individual para preparar a história paralela. Alguns exemplos de histórias que poderiam se tornar "parábolas modernas":

- Davi e Golias
- O bom samaritano
- Zaqueu
- Jó

52 Orações

Escrever uma oração é outra tarefa aplicativa que força o aluno a lidar com os princípios aprendidos na aula e expressá-los de forma pessoal diante de Deus. Este exercício exige alguns momentos em silêncio no final da aula, para todos anotarem seus pedidos particulares à luz do que foi aprendido naquela lição. Se alguém desejar, pode ler sua oração diante da turma.

53 Acróstico

O acróstico é um bom exercício para ser feito em grupo ou individualmente e pode ser usado com bom proveito no início, como captação, ou no final da aula, como recapitulação. O professor pede que os alunos escrevam um acróstico em que cada letra de uma palavra-chave (o tema) da aula é o início de uma palavra relacionada àquele tema. Por exemplo, numa aula sobre o casamento:

Comunhão
Aliança
Solidariedade
Amizade
Lealdade

54 Poesia

O professor pode pedir, nas turmas mais eloquentes, que os alunos escrevam uma poesia, com ou sem rima, que conte uma história bíblica, resuma uma aula ou trace paralelos com os dias atuais. Os melhores poemas podem ser lidos para a classe.

55 Carta

Escrever uma carta pode ser uma tarefa que ajuda o aluno a usar princípios que aprendeu para o aconselhamento de um amigo ou parente. Exemplos de situações propostas pelo professor:

- Escreva uma carta evangelística a um tio que mora em outra cidade.
- Escreva uma carta de consolação a um amigo que perdeu seu pai.
- Escreva uma carta a um professor, explicando por que você não concorda com a teoria da evolução.
- Escreva uma carta a um jovem recém-convertido, ensinando como estudar a Bíblia.

56 Palavras cruzadas

O professor pede que os alunos preparem um jogo de palavras cruzadas usando palavras-chaves da aula. Os alunos podem escolher as palavras (por exemplo, de um texto bíblico) ou o próprio professor pode suprir a lista. "Ganha" o aluno que consegue colocar mais palavras em menos espaço.

- *Variação 1:* Se quiser, pode exigir que as palavras da horizontal tenham a ver com um tema, e as palavras na vertical, com outro.

- *Variação 2:* Caça-palavras. O princípio é o mesmo, só que dessa vez os alunos "escondem" as palavras-chaves dentro de um quadrado (podem escrever palavras na vertical, horizontal e diagonal).

57 Diário (personalidade bíblica)

O professor desafia os alunos a escreverem uma página no diário de um personagem bíblico. A tarefa exige muita criatividade para realmente "entrar na pele" da pessoa, sentindo o que sentia, pensando o que pensava etc. As seleções podem ser breves, mas devem ser imaginativas, dentro dos limites impostos pelo texto bíblico.

Alguns exemplos:

- José, depois que o anjo lhe disse que seria pai do Messias.
- Josué, depois da derrota em Ai.
- Marta, depois da ressurreição do seu irmão Lázaro.
- O soldado romano, depois da crucificação de Jesus.

58 Paráfrase

Este é um exercício simples que também ajuda os alunos a "internalizarem" o conteúdo da lição. A paráfrase exige que reescrevam o texto bíblico de forma ampliada, esclarecendo seu significado e, se possível, contextualizando-o para os dias atuais. O exercício trabalha com todos os aspectos de estudo bíblico (observação, interpretação e aplicação) e revela ao professor até que ponto os alunos estão captando os princípios da aula.

Para ajudar os alunos, o professor pode ler uma ou mais seleções da Bíblia Viva ou outra paráfrase antes da tarefa.

59 Jornal antigo

Semelhante à ideia "Transmissão via rádio", os alunos vão produzir um jornal dos tempos bíblicos. Podem ser muito criativos e usar senso de humor, mas devem transmitir aspectos da cultura, reações de testemunhas oculares de eventos bíblicos etc. O jornal pode ser reproduzido e veiculado para outras pessoas curtirem... e aprenderem!

60 Músicas originais

O professor sábio usa a música para impactar não somente o intelecto, mas a emoção e a vontade dos alunos. Como técnica didática, cabe para qualquer grupo e faixa etária.

Colossenses 3.16 e Efésios 5.19 não somente defendem, mas EXIGEM o uso de música no ensino. Uma tradução literal do primeiro texto diz: "A palavra de Cristo habite (continuamente) em vós ricamente, em toda a sabedoria, ensinando e aconselhando uns aos outros com salmos e hinos e cânticos espirituais... cantando com graça em vossos corações ao Senhor." Em outras palavras, uma das maneiras pelas quais ensinamos e aconselhamos uns aos outros é pela música!

Há muitas formas pelas quais o professor pode usar música em suas aulas:

- Tocar uma música (popular ou evangélica) que expresse o tema ou ponto principal da aula.
- Iniciar ou terminar a aula com uma música que resuma o conteúdo da lição.
- Incentivar os próprios alunos a escreverem músicas originais sobre determinado tema.

61 Músicas alteradas

Em vez de compor músicas originais, os alunos simplesmente alteram a letra de uma música popular ou conhecida. A nova letra deve refletir o conteúdo da lição ou da série. (Tome cuidado com o uso dessas "novas" músicas para não ferir direitos autorais da música original!)

PESQUISAR

62 Exposição pelos alunos

O professor não deve esquecer que um ótimo recurso que ele tem às mãos são os seus próprios alunos. Ele pode envolvê-los para que a aula se torne mais dinâmica e ele não seja o único, sempre, a apresentar todo o conteúdo da sua matéria.

A princípio, parece que este recurso simplesmente dará um pouco de folga ao professor, pois os alunos terão de dar a aula em seu lugar.

Mas se o professor quer utilizar os alunos como um recurso, precisa envolvê-los na preparação daquilo que será apresentado. Deve dar os temas com bastante antecedência, para que os alunos possam se preparar devidamente. Além disso, precisa orientá-los com relação ao preparo, conteúdo, dinâmica e didática da aula. Se fizer assim, o professor não terá muitas surpresas (mas com certeza elas virão, agradáveis ou não), e as aulas continuarão com o mesmo ritmo.

O ideal é que os alunos deem parte de uma aula, e não a aula toda. O professor faz a exposição de alguns pontos e seleciona um ponto específico para ser apresentado por um aluno. Numa aula de uma hora, dê um tempo de, no máximo, 10 a 15 minutos para que o aluno faça a sua parte. (De preferência, somente um aluno por aula, para que não haja comparações.) Se o aluno estiver bem preparado, com um bom conteúdo e uma boa didática, com certeza isto dinamizará a aula, e os alunos sairão enriquecidos com o seu estudo pessoal.

63 Simpósio

O simpósio é uma das mais antigas técnicas dentro da dinâmica de grupo. Não é tão empolgante quanto outras técnicas já vistas, mas constitui uma excelente oportunidade de participação para todos e ajuda o aluno na sua formação, capacitando-o no desenvolvimento da exposição de ideias.

Procedimento do simpósio

O professor deve dividir o tema da aula em várias partes, entregando cada parte a um grupo, para que este pesquise para uma futura apresentação em classe.

Após o preparo do assunto, cada grupo escolherá um relator, que, dispondo de no máximo dez minutos, deverá apresentar o tema à classe. Enquanto o relator estiver falando, outro componente do grupo poderá escrever no quadro-negro, colocar gráficos ou cartazes na sala, acrescentando um recurso visual à exposição do colega. Terminada a exposição do relator, pode-se dispor de alguns poucos minutos para pedidos de esclarecimentos sobre o que foi exposto.

A seguir, novo relator se apresentará, seguindo os mesmos critérios.

Deve-se evitar que o simpósio ultrapasse uma hora. Portanto, em uma aula de uma hora, quatro ou no máximo cinco alunos farão a sua apresentação. Se o tema a ser exposto exigir mais de cinco partes, o simpósio terá de ser feito em duas aulas.

Para que a exposição seja dada em apenas dez minutos, o professor terá de ajudar o grupo a resumir bem o assunto, expondo apenas o necessário para o objetivo proposto da aula. Vê-se que esta técnica não é para aprofundar determinados temas, mas para expô-los de uma forma mais sucinta e objetiva.

Exemplos para uma boa utilização do simpósio
Esta técnica pode ser utilizada quando o professor estiver expondo, de uma forma resumida, o tema de diversos livros bíblicos.

Com a exposição resumida, por exemplo, de todo o livro de 1Coríntios em uma ou duas aulas, o professor poderá selecionar os temas mais relevantes do livro e distribuí-los entre os alunos, para que cada grupo faça a exposição em poucos minutos. Com isto, a aula torna-se dinâmica, com vários alunos expondo os diversos temas do livro em poucos minutos de aula.

64 Estudo bíblico indutivo

Este é um exercício que realmente dá frutos, pois envolve os alunos diretamente com o texto bíblico e ao mesmo tempo ensina-os como estudar a Bíblia por si mesmos. O professor primeiro precisa explicar os três passos essenciais num estudo bíblico indutivo (por "indutivo", entendemos "de primeira mão", fazendo descobertas diretamente do texto): observação, interpretação, aplicação.[18] Os alunos devem preparar um gráfico numa folha de sulfite, dividida em três partes conforme estes passos:

Observação	Interpretação	Aplicação

O professor divide a turma em pequenos grupos de estudo e dá um versículo ou um pequeno parágrafo para cada grupo. Pede que eles analisem o texto, primeiro fazendo tantas observações quanto possível do texto, depois levantando e tentando responder a algumas perguntas interpretativas, e finalmente procurando aplicações práticas do texto.

Depois de um determinado tempo (procure dar tempo suficiente para fazer um bom trabalho), os grupos podem compartilhar suas descobertas com a classe.

65 Com os olhos e com a boca

"Com os olhos e com a boca" é uma técnica em que as observações e implicações de um texto bíblico são compartilhadas entre os alunos.

Esta técnica tem início quando o professor indica um texto bíblico para ser estudado em leitura silenciosa por todos os participantes. Depois de algum tempo dado para esta leitura, o professor responde a possíveis dúvidas dos participantes quanto ao texto bíblico lido e estudado.

Depois disto, o professor divide a turma em quatro grupos iguais e dá um número a cada participante do grupo da seguinte maneira:

- Grupo I — números 1,3,5,7,9,11,13 etc.
- Grupo II — números 2,4,6,8,10,12 etc.
- Grupo III — números 1,3,5,7,9,11,13 etc.
- Grupo IV — números 2,4,6,8,10,12 etc.

A tarefa dos alunos agora é explicar o texto lido, com todas as suas observações e implicações, da seguinte maneira: os alunos do Grupo I explicam aos alunos do Grupo II, enquanto os do Grupo III explicam aos do Grupo IV. Isto se faz da seguinte maneira: o aluno 1 do Grupo I dá as explicações para o aluno 2 do Grupo II, o aluno 3 do Grupo I dá a sua explicação para o aluno 4 do Grupo II, e assim por diante.

Passado um tempo previsto para as explicações, faz-se o rodízio. Agora é a vez dos alunos de números pares explicarem para os alunos de números ímpares.

Após as explicações, formam-se novas equipes, para que os alunos possam fazer juntos aplicações práticas do texto lido e já estudado.

- Quarteto 1 — Números 1 (dos grupos I e III) e números 2 (dos grupos II e IV).
- Quarteto 2 — Números 3 (dos grupos I e III) e números 4 (dos grupos II e IV).
- Quarteto 3 — Números 5 (dos grupos I e III) e números 6 (dos grupos II e IV).

E assim por diante...

É uma ideia interessante, pois envolve a leitura e o processo de observar, tirar implicações do texto e aplicá-lo à vida do aluno. E é uma técnica bastante dinâmica, pois é realizada em várias etapas, envolvendo atividades distintas com grupos diferentes.

66 Caça ao tesouro na biblioteca

Para envolver os alunos na pesquisa e ensiná-los a usar as muitas ferramentas numa biblioteca, especialmente quando existe uma na igreja, o professor pode designar uma aula para "caça ao tesouro" na biblioteca. Pode indicar um ou mais assuntos para serem pesquisados e dar dicas aos alunos sobre como achar informação nos arquivos da biblioteca.

Para tornar a experiência mais interessante, o professor pode esconder prêmios simples ou pedaços de papéis coloridos em lugares estratégicos ou até mesmo dentro de livros onde os alunos encontrarão respostas às perguntas da pesquisa. Pode fazer um concurso entre times para ver quem consegue achar mais desses "prêmios" no tempo determinado.

67 Resenhas

Embora seja um método antigo, a preparação de resenhas pelos alunos facilita o envolvimento deles na aprendizagem de uma forma direta. O professor pede uma leitura (de um artigo, capítulo ou livro) para alguns ou todos os seus alunos, com o propósito de receber deles um resumo verbal ou por escrito. Essa resenha deve incluir os pontos altos e baixos do texto, com as recomendações e interações do aluno. Para facilitar, o professor pode preparar algumas perguntas básicas que direcionem a leitura e o relatório.

68 Pesquisa de campo

A pesquisa de campo encoraja os alunos a se tornarem pesquisadores, pois exige que eles colecionem dados direto da "fonte". A pesquisa normalmente se faz através de um questionário cuidadosamente preparado (outro ótimo exercício) e administrado pelos alunos "no mundo real". Depois de compilados os resultados, devem ser analisados e interpretados. (A ciência de estatísticas é muito exata e complicada, e o processo de elaborar um instrumento de pesquisa válido pode ser bastante demorado.) Mas este exercício pode introduzir os alunos a alguns passos básicos de pesquisa e forçá-los a lidar com pessoas e opiniões "lá fora".

Exemplos de pesquisas que podem ser realizadas:

- Atitudes na comunidade sobre os "evangélicos".
- Opiniões na igreja sobre "ação social".
- Respostas que pessoas dão ao problema do mal.
- Nível de conhecimento bíblico da população em geral.

69 Projetos criativos

Certa vez, uma aluna da nossa matéria de Provérbios entregou um projeto criativo em desenho animado que dizia: "O professor sábio desperta a criatividade de seus alunos." Uma coisa é ser um professor criativo. Outra é transmitir esse dinamismo a alunos fiéis que sejam também capazes de ensinar outros (2Tm 2.2, NVI). O projeto criativo pode ser parte facultativa ou até mesmo obrigatória em alguns semestres. Os alunos são desafiados a transformar o conteúdo de alguma parte da matéria numa apresentação dinâmica e criativa. O professor não deve impor muitos limites, para realmente estimular a criatividade dos alunos. Pode sugerir grandes categorias de projetos (música, arte, drama, audiovisuais etc.) usando este livro como guia. Se quiser, pode estipular a quantidade de tempo que deve ser investida no projeto. No dia designado, os alunos apresentarão seus respectivos projetos diante da turma numa aula especial.

Observação: O professor sábio também é esperto — convence seus alunos a lhe doarem os projetos finais, assim enriquecendo a matéria para a próxima vez que ela for dada!

Ideias para audiovisuais

Incluímos aqui uma categoria de ideias à parte, que poderiam servir de apoio às outras ideias neste livro, ou ser usadas individualmente. Por "audiovisuais" pensamos em instrumentos de ensino que aproveitam especialmente o sentido visual, mas que às vezes também incluem o senso auditivo. Alguns deles exigem bastante experiência e conhecimento técnico, mas a maioria está ao alcance de todos.

O professor precavido deve pensar na possibilidade de adquirir um "arsenal" didático. Pode começar com o material que é menos caro, ou que pode ser confeccionado em casa (*flip chart*, flanelógrafo, quadro cênico) e depois adquirir o que é mais caro ou sofisticado. As ferramentas e ideias que seguem constituem um ótimo ponto de partida.

70 Flanelógrafo

O flanelógrafo é uma das técnicas visuais mais usadas, especialmente com crianças. Por ser simples, objetivo, "em conta" e fácil de usar, todo professor pode adquirir a habilidade de usá-lo como parte de seu arsenal didático.

O flanelógrafo mais simples pode consistir de um papelão ou outro quadro rígido sobre o qual se prende um pedaço de feltro. Figuras e objetos que representam personagens e eventos bíblicos são preparados de recortes de revistas dominicais, material comercial ou produzido em casa. Cada figura precisa de um pedaço (ou mais) de feltro no verso para poder aderir ao flanelógrafo.

O professor dispõe todas as figuras à sua frente, na ordem em que serão apresentadas (assim funcionam como "esboço" e lembrança da narrativa). Ao contar a história, o professor fixa as figuras no quadro (lembrando que nunca deve falar olhando para o flanelógrafo, mas para os alunos!).

Se quiser, no final da história pode pedir que um ou mais alunos repitam a narrativa usando o flanelógrafo.

Com o tempo, o professor pode adquirir um arquivo de figuras, cenas e objetos que facilitarão a ilustração de qualquer história bíblica.

71 Flip chart

O *flip chart* é um cavalete de madeira onde se podem fixar folhas de diferentes tamanhos e formatos. Nestas folhas, pode ser desenhado ou escrito todo o visual que o professor quer mostrar em aula.

No *flip chart*, o professor poderá ter toda a sua aula já visualizada, sem ter necessidade de escrevê-la. Mas poderá, também, utilizar as folhas em branco, escrevendo o conteúdo durante a própria aula.

Para que haja uma boa visualização, é necessário escrever com letras bem grandes e de preferência coloridas, para que este recurso alcance o seu objetivo, chamando a atenção dos alunos. Se o professor tiver uma boa letra, com uma simples caneta hidrocor ou um pincel atômico poderá escrever os pontos que desejar da aula.

Mas se a letra do professor não ajudar, o computador poderá facilitar em muito o trabalho de escrever nas folhas do *flip chart*. Utilizando-se do *WordArt*, por exemplo, o professor terá letras de diferentes tamanhos, formatos e cores que poderão ser impressas em uma folha de sulfite normal e depois coladas na folha de *flip chart*. Não é um trabalho demorado e produz um resultado de ótima visualização.

Vantagens
- A grande vantagem do *flip chart* é que ele tem um bom alcance visual e pode ser utilizado em diferentes ambientes. Pode ser empregado em uma sala de aula normal, complementando o que está escrito em um quadro-negro, como também em uma sala que não tem quadro-negro (por exemplo, quando a sala de aula é o próprio templo, um salão social ou até mesmo a cozinha da igreja). Para ambientes externos, é um dos melhores recursos visuais.
- O professor poderá expor a sua aula com uma bonita visualização, independente da luminosidade do ambiente e de energia elétrica.
- Outra vantagem é a possibilidade de ter toda a aula já pronta. Seguindo os pontos escritos previamente no *flip chart*, o professor poderá ser mais direto e objetivo naquilo que está ensinando.

Dificuldade
- A maior desvantagem é o transporte. Por ser um recurso grande e pesado, o uso será limitado se você não tiver condições adequadas de transportá-lo.

72 Mapas

Todo professor que ensina regularmente a Palavra de Deus, com os fatos e as histórias tanto do Antigo como do Novo Testamentos, logo percebe que a narrativa está cheia de referências à geografia. Nomes de países, regiões, cidades, vilas, rios e montes se encontram na maioria dos livros bíblicos.

Boa parte dos escritores bíblicos se preocupou em dar noções corretas de geografia para os fatos e relatos que estavam sendo registrados, para que o leitor pudesse ter uma ideia mais exata e completa dos acontecimentos narrados.

Mas, infelizmente, na grande maioria das vezes, o professor menciona os lugares, cita os contextos geográficos em que estão inseridos os acontecimentos bíblicos, mas não oferece uma visualização do que está sendo ensinado. Ao dar a sua aula, faz menção a diferentes lugares, é fiel à narrativa bíblica, mas é incapaz de mostrar um único mapa que torne mais vivo e mais real aquilo que está ensinando. E o aluno fica "perdido" no contexto geográfico.

Em determinadas aulas, é imprescindível que o professor apresente mapas, a fim de que o aluno tenha uma noção real e mais viva daquilo que o autor bíblico quis ensinar com a sua narrativa.

Exemplos da importância dos mapas para o ensino bíblico
- Textos como o de João 4.4 adquirem um significado muito maior e mais profundo quando conhecemos a geografia da Palestina na época de Jesus.
- Se tivermos uma visualização da geografia de Israel no AT, entenderemos com muito mais propriedade a razão do estresse pelo qual Elias passou na narrativa de 2Reis 18.19.
- A localização da cidade de Társis, para onde Jonas queria fugir, tem um significado especial e até mesmo irônico

quando a visualizamos em um mapa do mundo antigo em relação a Nínive.

Hoje, não há desculpas para não se utilizar um mapa. A grande maioria das Bíblias tem, no mínimo, os mapas básicos da história bíblica. O professor poderá fazer uso deles em sua aula.

Um bom número de editoras evangélicas tem publicado uma série de mapas bíblicos a um preço acessível, os quais podem ser obtidos pelo professor ou pela igreja. Há livros de geografia bíblica que possuem mapas bonitos, coloridos, que podem dar uma boa visualização. A *internet* é um recurso quase inesgotável de mapas e informações geográficas.

73 DVDs e videoclipes

Um ótimo recurso, dependendo da matéria ou do tema que será apresentado aos alunos, é a utilização de DVDs e vídeos baixados da *internet*.

Desenhos bíblicos, documentários, filmes evangélicos, filmes de histórias podem ser utilizados pelo professor para ilustrar e enriquecer visualmente, dando uma forma bem dinâmica à aula.

Este recurso nunca pode ser visto como um tapa-buraco do professor que pensa: "Se eu não conseguir preparar nada, levo um filme, e a minha aula estará pronta." Não podemos pensar assim, porque o vídeo tem de ser um recurso a ser utilizado na aula, e não a aula em si.

Observações importantes quanto ao uso do vídeo
Não é fácil utilizar um vídeo na aula. Para usar este recurso, precisa haver uma preparação prévia:

- Com certeza, o professor terá de ver todo o desenho ou filme antes de passá-lo aos alunos, para que não haja nenhuma surpresa.
- É preciso verificar se há como projetar o vídeo em tamanho adequado para que haja uma boa visualização.
- A luminosidade é adequada? Todos os fios estão conectados corretamente?

Tudo isso precisa ser observado com antecedência, para que não haja contratempos na apresentação.

Como utilizar o vídeo
Ao passar um desenho bíblico para crianças, o professor deverá interagir com elas durante ou após a apresentação da fita. O professor poderá parar o filme e fazer perguntas para as crianças, para ver se estão acompanhando ou não. Poderá, também, parar o vídeo se houver alguma diferença com o que a Bíblia conta naquela história. Se os alunos já conhecem a história, que tal pedir para verificarem se há algum erro com relação à narrativa bíblica?

Em um filme ou documentário apresentado para jovens ou adultos, é preciso utilizar um tempo depois (ou na aula seguinte) para discussões ou observações extraídas do filme em relação ao assunto que está sendo estudado. O filme tem de ter correlação com o tema. Não é um recurso avulso usado apenas para dinamizar a aula.

Fazendo um bom uso deste recurso, preparando-se bem para a sua apresentação, o vídeo, com certeza, tornará a sua aula muito mais dinâmica e criativa. Mas não faça deste recurso uma constante em suas aulas até esgotar o que há no mercado. Não! Lembre-se: variar no método é fundamental para o sucesso do seu ensino.

74 Data-show

- **Material necessário:** Projetor de *data-show*; tela, parede ou TV; computador; programa *Power Point*.

- **Procedimento:** O equipamento de *data-show* é um recurso, que já está sendo utilizado com grande proveito na maioria das igrejas e escolas.

Com o *data-show*, o professor consegue projetar o esboço de sua aula, ilustrações, citações, desenhos, avisos, tarefas e muito mais.

Outras vantagens do *data-show*:[19]

- Prende a atenção do auditório.
- Facilita a anotação dos alunos.
- Ganha tempo em leituras paralelas.
- Dá um aspecto de informalidade quando deixa os alunos interagirem.
- Atende à necessidade de uma sociedade visual.
- Cria um impacto positivo em visitantes.
- Mostra um zelo por excelência.

Perigos e cuidados
1. No início, existe uma tendência ao excesso e ao uso de desenhos "ocupados" demais.
2. Há mais necessidade de cuidado com o português.
3. Exige mais tempo de preparo, especialmente no início.
4. Dificulta o "improviso" na sala de aula.
5. Às vezes, o que fica bom no monitor do computador não sai tão bem na projeção.

6. Exige um senso estético para coordenar tamanho de fonte, cor, desenhos etc.
7. Depende de fatores às vezes fora do controle do professor (p. ex., energia elétrica, lâmpada, *pen drive*, erro humano etc.).

75 Quadro-negro ou quadro branco

Este é um dos recursos visuais mais utilizados, basicamente porque é bastante acessível. A grande maioria das salas de aula tem um quadro-negro ou quadro branco. Nele podem ser feitos desenhos, ilustrações, gráficos, diagramas, esboços etc. Não precisa ser artista. Figuras simples às vezes comunicam muito mais que grandes retratos!

Para que o professor faça bom uso deste recurso visual, é preciso que tome algumas precauções:

- Evite ficar totalmente de costas para os alunos enquanto está escrevendo, e NUNCA fale com o rosto virado para o quadro-negro.
- Não escreva toda a sua aula no quadro, senão os alunos já saberão tudo o que será falado antes mesmo de a aula começar.
- De preferência, use giz de cores diferentes para tornar o seu recurso visual mais atraente.

Dificuldades

O professor poderá perder algum tempo escrevendo na hora algo que já poderia estar escrito.

Se o professor não tem uma boa letra, com certeza o seu recurso visual não será dos mais atraentes. Tente escrever da melhor forma possível ou peça a ajuda de um aluno!

76 Cartazes

Um recurso fácil de preparar e que permite uma boa visualização é o uso de cartazes que vão sendo afixados na parede à medida que a aula vai sendo dada. Podem ser feitos em papel sulfite ou em um papel mais grosso (branco ou colorido). Nestes cartazes pode-se ter gravuras, desenhos, recortes e os pontos mais importantes da aula.

À medida que o professor vai dando a sua aula, ele coloca com durex ou fita crepe as folhas sulfite ou cartazes, mostrando o conteúdo resumido da aula.

É possível utilizar as fontes do computador para se obter, em pouco tempo, todo o esboço da aula. Também há desenhos geométricos variados que podem formar diferentes tipos de cartazes (circulares, retangulares, quadrados etc.).

- *Exemplos:*

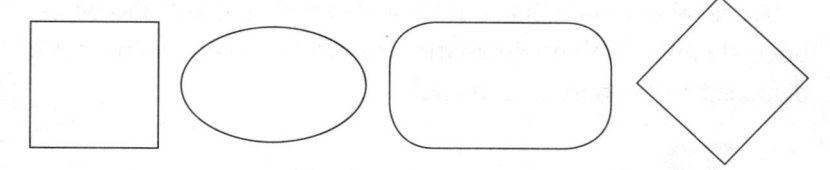

Desenhos podem ser feitos, ou retirados de programas de clipart. Fotos e gravuras podem ser recortadas de jornais ou revistas.

Portanto, fazer cartazes é fácil e produz um impacto muito bom, porque eles podem ser apresentados em etapas e levar a uma visualização ampla de todo o conteúdo da aula num único espaço físico.

- *Observação:* O professor que utilizar este recurso não pode deixar de levar um durex ou fita crepe, porque sem esses materiais não haverá condições de afixar os cartazes, e o recurso ficará sem sentido. Na maioria das vezes, este tipo de material não está tão disponível como poderíamos imaginar.

77 Miniapostila

Uma forma de você visualizar a sua aula é escrever todo o esboço em uma folha de papel sulfite e entregá-la aos alunos. Nesta folha, os alunos acompanharão a aula, lendo ou preenchendo os espaços em branco deixados pelo professor.

Mas para ser uma visualização interessante, o professor deverá "caprichar" nesta folha entregue aos alunos. Nela, o professor poderá colocar desenhos, gravuras, fotos. Pode ser uma folha colorida, com letras coloridas de diferentes tamanhos, com círculos, quadrados para serem preenchidos. A criatividade do professor poderá tornar esta folha muito interessante.

Ao receber uma folha bem feita com todo o conteúdo ou esboço da aula, o aluno se sentirá valorizado e com muito mais disposição para participar da aula.

78 Quadro cênico

- *Material necessário:* Quadro com tripé; tinta guache; pincéis; papel.

O quadro cênico tem sido usado para apresentações do evangelho ao ar livre, mas também é um ótimo recurso para aulas ocasionais. A ideia básica é que o professor "pinte" sua aula, usando algumas imagens e palavras-chaves desenhadas pela metade na folha antes de começar a aula. Isso desperta o interesse da classe, que quer saber o que está escrito ou desenhado.

Com a apresentação da lição, o professor-artista completa as letras e desenhos e transmite a mensagem.[20]

79 Lições objetivas

- *Material necessário:* Objetos que ilustrem o ponto ou os pontos principais da aula, ou que constituam a lição em si.

- *Procedimento:* O bom professor consegue tornar o abstrato em algo visível. O uso de metáforas verbais, muitas vezes, atinge esse objetivo. Mas a visualização por meio de objetos estratégicos pode tornar uma aula ainda mais memorável. Os profetas de Israel e o Senhor Jesus encheram seu ensino com lições objetivas.

O professor deve considerar todos os aspectos da aula para decidir se um ou mais objetos poderiam servir como ilustrações gráficas dos pontos principais. Muitos textos bíblicos sugerem analogias que facilmente podem ser ilustradas com uma lição objetiva.

Um vaso de barro, um grão de mostarda, uvas, um galho seco — todos podem transmitir graficamente uma mensagem que, de outro modo, cairia no esquecimento.

80 Exibições

O professor deve colecionar os desenhos, projetos manuais, projetos criativos e outras "obras de arte" desenvolvidas pelos alunos. Num determinado dia especial, apresenta uma exibição de todos os trabalhos, com o nome do "artista" e o título da obra. A exibição em si serve como recapitulação da matéria e anima os alunos cujo trabalho fica em destaque. Pais e amigos podem ser convidados para a exposição, e uma mesa de salgados e doces também é uma boa ideia.

81 Gravações

Embora simples, o uso estratégico de gravações bem feitas pode enriquecer muito a aula. Alguns exemplos de gravações que vão dinamizar a lição:

- Uma leitura bíblica profissional com fundo musical.
- Um testemunho breve de um convidado especial.
- Uma reportagem com notícias selecionadas.
- Uma música especial voltada ao tema da aula.
- Uma pesquisa informal feita "na rua", com as respostas.

Ideias para revisão e recapitulação

Se "**repetição é a mãe da aprendizagem**", então a revisão deve ser sua tia! Todo bom ensino inclui frequente recapitulação do que já foi descoberto. Infelizmente, muita revisão não passa de mera repetição de listas, fatos e tópicos.

As ideias deste capítulo ajudarão o aluno não somente a repetir, mas a interagir com a informação adquirida. Algumas são muito desafiadoras e exigirão reflexão. Outras são mais divertidas. Todas são necessárias como material de apoio ao professor criativo.

- *Observação:* Quase todas as ideias listadas na parte "Escrever" em "Ideias para dinâmicas de ensino" também servem como tarefas de recapitulação e revisão.

82 Cadeiras secretas

- *Material necessário:* Pequenas etiquetas e/ou folhas de papel marcadas com "X" ou com uma pergunta sobre a matéria; prêmios.

Esta é uma das ideias mais simples, mas que dá um ótimo retorno em termos de suspense, envolvimento dos alunos e animação da turma. O professor precisa chegar bem antes dos alunos e afixar embaixo ou atrás de algumas cadeiras (talvez 10% das cadeiras) a etiqueta ou folha de papel. Num determinado momento da aula, deve anunciar que existem algumas "cadeiras secretas" distribuídas na sala. Os alunos irão verificar quem está sentado nessas cadeiras. Esses alunos precisam responder à pergunta escrita na folha ou feita pelo professor. Obviamente, não se deve repetir este exercício toda semana, mas ele cria uma expectativa grande nos alunos pela matéria durante boa parte do semestre.

83 Autódromo

O autódromo é uma simulação de uma corrida de carros que visa à recapitulação do conteúdo ensinado, ao término de uma série de aulas sobre um mesmo assunto. Não é apropriado para recapitular uma única aula, pois há necessidade de um conteúdo mais amplo para a elaboração das questões.

É uma recapitulação interessante, pois é feita em grupos e em ritmo de competição.

O professor deverá preparar um conjunto de questões objetivas do tipo falso/verdadeiro, múltipla escolha ou para o aluno escrever a resposta. Poderá utilizar um destes modelos, os três, ou algum outro que desejar.

Pode-se desenhar a pista em um pano, fixá-lo a um isopor e colocá-lo em um tripé, tornando a pista de fácil visualização por parte dos alunos. Por estarem fixados a um isopor, os carros poderão ser simulados com alfinetes coloridos, cada cor representando uma das equipes da corrida. Também é possível desenhar a pista no quadro-negro ou projetá-la na parede, tela ou monitor.

Modelo de uma pista de autódromo:

1	2	3	4	5			

O professor deve formar grupos pequenos de alunos e passar uma cor diferente para cada grupo, de acordo com as cores dos "carros".

Se fizer a opção de questões falso/verdadeiro, o professor deverá entregar para cada grupo de alunos um conjunto de quatro folhas onde colocará as alternativas:

- ☐ Falso/Falso
- ☐ Verdadeiro/Verdadeiro
- ☐ Falso/Verdadeiro
- ☐ Verdadeiro/Falso

Se além deste tipo de questões houver as de múltipla escolha, o professor deverá entregar aos alunos as folhas com as opções A/B/C/D/E. E se além destas ocorrerem questões para os alunos escreverem suas respostas, deverá dar a eles algumas folhas em branco.

Exemplos de perguntas

- FALSO OU VERDADEIRO

    Davi foi o primeiro rei de Israel
    ☐ Falso   ☐ Verdadeiro

    Saul sucedeu a Davi no trono de Israel
    ☐ Falso   ☐ Verdadeiro

- MÚLTIPLA ESCOLHA

  Quem foi o primeiro rei de Israel:
  a) Moisés
  b) Abraão
  c) Josué
  d) Saul
  e) Davi

- ESCREVER EM UMA FOLHA EM BRANCO

  Escreva o nome do primeiro rei de Israel:

  _____

Realização do jogo
Ao iniciar o autódromo, o professor lerá a primeira questão, dando tempo de aproximadamente 30 segundos para que o grupo faça a sua alternativa ou escreva a sua resposta. Terminado o tempo, um representante do grupo levanta a resposta. O professor verificará a alternativa de cada grupo e dará a resposta correta.

O professor deverá registrar a evolução do grupo andando com os carros nos quadros da pista do autódromo, de acordo com a quantidade de respostas certas do grupo.

O professor lerá uma nova questão, os alunos escolherão a alternativa ou responderão à pergunta, e o professor irá registrando a evolução ou não das equipes pela pista do autódromo.

O professor poderá premiar o grupo que terminar em primeiro lugar a pista do autódromo.

84 Jogo da velha

Uma forma dinâmica e interessante de se fazer uma recapitulação de uma matéria é por meio do conhecido jogo da velha. O professor deverá dispor nove cadeiras (três linhas em três colunas de cadeiras) para que nelas se assentem os alunos.

O professor deverá dividir a turma em grupos de nove pessoas, para que, concorrendo entre si, cada grupo tente alcançar o objetivo de fechar o jogo da velha.

Disposição dos alunos para o jogo da velha

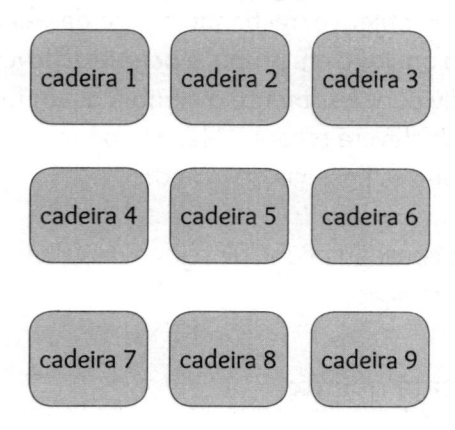

cadeira 1	cadeira 2	cadeira 3
cadeira 4	cadeira 5	cadeira 6
cadeira 7	cadeira 8	cadeira 9

O professor elaborará uma lista de questões e deverá seguir a sequência da sua lista, independente do aluno a quem a pergunta será dirigida, ou seja, não selecionar uma pergunta fácil para um aluno com menos conhecimento e uma pergunta mais difícil para aquele aluno que tem a matéria dominada.

Já que o objetivo da competição é fechar o jogo da velha, os próprios alunos de cada grupo é que escolherão a quem o professor deverá fazer a pergunta.

A competição começa com o primeiro grupo assentado nas cadeiras organizadas pelo professor. O grupo seleciona a quem deverá ser feita a primeira questão. Se a resposta estiver correta, os alunos escolherão o próximo a responder, tendo sempre em mente concluir o jogo da velha. Se a resposta estiver errada, o aluno deverá sair da cadeira, dificultando com isto a finalização do jogo.

Vantagens

- Este é um jogo interessante, porque com apenas três perguntas respondidas corretamente, o grupo poderá finalizá-lo. E mesmo com respostas erradas, há ainda possibilidades de se alcançar o objetivo, fechando o jogo da velha.
- Mesmo sendo um jogo em grupo, a pergunta deverá ser feita para cada indivíduo, e somente o aluno a quem foi dirigida a pergunta é que deverá respondê-la, não podendo ter nenhuma ajuda de outras pessoas do grupo.

Ao grupo que conseguir concluir o jogo da velha, o professor concede uma premiação.

85 Batata quente

Depois de uma série de aulas, o professor deverá elaborar questões e escrevê-las em várias tiras de papel. Estas tiras deverão ser colocadas dentro de um recipiente aberto, que vamos chamar de batata quente.

Em seguida, o professor deverá formar um grande círculo com os alunos, assentados em suas carteiras ou em pé.

O professor deverá providenciar uma pessoa que saiba tocar algum instrumento musical ou então utilizar um aparelho de som. A pessoa que toca o instrumento musical ou controla o aparelho de som deverá estar de costas para o círculo de alunos.

O jogo terá início quando a pessoa tocar o instrumento musical ou ligar o aparelho de som. Enquanto a música estiver tocando, a batata quente com as perguntas vai sendo passada de mão em mão. Quando a música parar, a pessoa que estiver com a batata quente deverá tirar uma questão e respondê-la. Se responder corretamente, ganha um prêmio (um bombom, uma bala, um adesivo etc.). Se não, passa o recipiente adiante.

Na sequência do jogo, a música recomeça, e a batata quente continua sendo passada pelas pessoas até que o som pare, e assim por diante, até terminarem as questões elaboradas pelo professor.

86 Bingo

O bingo é uma técnica de recapitulação que provoca muito entusiasmo entre os alunos, pois lhes permite rever todo o conteúdo da matéria e envolver-se em uma competição dinâmica e interessante.

O preparo pode ser trabalhoso, mas, com um pouco de habilidade em um computador, rapidamente o professor terá todo o material para a realização desta dinâmica.

Em primeiro lugar, o professor elaborará a sua lista de questões objetivas. Em seguida, deverá preparar as cartelas de acordo com o número de alunos. Nestas cartelas, o professor colocará as respostas às perguntas que ele formulou. As respostas estarão distribuídas aleatoriamente entre as cartelas.

As cartelas podem ter quatro, seis ou nove respostas, dependendo do conteúdo que deseja verificar e do número de alunos.

O professor fará então a pergunta, e o aluno que tiver a resposta colocará um feijão ou algum outro material designado pelo professor na sua cartela, sobre a resposta correta.

Exemplo de uma cartela

Resposta da questão 1	Resposta da questão 5	Resposta da questão 12
Resposta da questão 25	Resposta da questão 31	Resposta da questão 32
Resposta da questão 39	Resposta da questão 45	Resposta da questão 50

O professor fará todas as perguntas da sua lista, e os alunos irão preenchendo as cartelas de acordo com as alternativas respondidas corretamente.

Para que seja realmente uma recapitulação, o professor deverá enfatizar cada uma das respostas, independente do clima emocional que estiver ocorrendo entre os alunos. Lembre-se, o objetivo é rever toda a matéria.

O único inconveniente do bingo é que, para vencer, completando em primeiro lugar a sua cartela, o aluno depende do fator sorte. Ainda que ele tenha um bom conhecimento da matéria, as perguntas cujas respostas estão na sua cartela podem demorar a aparecer.

Finalização

O bingo termina quando um dos alunos preenche em primeiro lugar a sua cartela. O professor poderá premiar o vencedor de acordo com as suas possibilidades.

87 "Show do Milhão"

- *Material necessário:* Um "jogo" de perguntas (múltipla escolha, quatro alternativas cada) que recapitulam a matéria, com dificuldade progressiva. Prêmios (opcional).

Ideias para revisão e recapitulação | 139

- *Procedimento:* O professor começa com um sorteio ou, se quiser, uma pergunta eliminatória para todos os alunos. O primeiro aluno com a resposta correta ganha o direito de jogar o "*Show* do milhão", respondendo às outras perguntas. Começa com a pergunta mais fácil, que vale 1.000 pontos. O participante tem cinco opções:

1. Responder sozinho à pergunta;
2. Pular a pergunta (pode usar esta opção até três vezes);
3. Pedir a ajuda de um "universitário" (o "sabichão" da turma);
4. Consultar as "placas" (a classe);
5. Sortear uma de quatro cartas (com os números "0", "1", "2", "3" escritos, cada número representando quantas respostas erradas serão eliminadas naquela questão).

Depois da resposta do aluno, o professor deve perguntar "Está certo disso?" O aluno passa de nível a nível até errar uma pergunta ou decidir parar no nível em que estiver. Os pontos recebidos podem valer como "bônus" na matéria, como pontos num concurso da EBD, ou o professor pode estabelecer outros prêmios.

Os níveis das perguntas:

1.000	10.000	100.000	1.000.000
2.000	20.000	200.000	
3.000	30.000	300.000	
4.000	40.000	400.000	
5.000	50.000	500.000	

88 "Perigo"

- *Material necessário:* Quatro ou cinco perguntas para cada uma de cinco categorias que refletem as grandes divisões do conteúdo da matéria; as perguntas devem ser progressivamente mais difíceis para refletir uma pontuação maior; prêmios.

"Perigo" é um jogo de revisão em que a classe é dividida em dois times. No quadro-negro (ou *Power point*), devem ser escritas as cinco categorias de perguntas conforme o conteúdo do currículo já ensinado. Sob cada categoria, são escritos os números 10, 20, 30, 40, 50, que correspondem ao número de pontos que cada pergunta vale. Veja este exemplo, usando categorias da matéria "Panorama Bíblico":

História	Personagens	Temas	Cronologia	Versículo-chave
10	10	10	10	10
20	20	20	20	20
30	30	30	30	30
40	40	40	40	40
50	50	50	50	50

A primeira pessoa do time "A" começa escolhendo uma categoria. O professor lê a pergunta de 10 pontos naquela categoria. Se a pessoa conseguir responder, seu time ganha os pontos (decida antes se o time pode ajudar com a resposta). Se o aluno errar, a pergunta passa para o time "B". Se o time B também errar, o professor dá a resposta correta. Agora um aluno do time B escolhe uma categoria (pode ser a mesma categoria da primeira pergunta, que agora vale 20 pontos). As perguntas precisam ser respondidas em ordem (de 10 até 50 pontos). Continue até terminar todas as perguntas ou esgotar o tempo. Pode premiar o time vencedor.

- *Variação:* Antes de começar o jogo, o professor pode escolher uma ou duas perguntas como "perigo dobrado", que significa que a pergunta vale o DOBRO do valor estipulado. Isso dinamizará o jogo e talvez dê esperança ao time que está perdendo.

89 Cochicho

Para esta atividade, o professor poderá utilizar a mesma lista de questões fechadas que foi sugerida para o Autódromo.

Os alunos formam as suas próprias equipes. Mas, diferentemente do Autódromo, eles não participarão juntos desta atividade. Terão uma participação individual, mas individualmente darão ou não pontos para a sua equipe.

O professor, então, formará duplas entre os alunos. Tais duplas serão compostas de integrantes de equipes diferentes, ou seja, adversárias.

As duplas "adversárias" ficarão lado a lado, cada pessoa com uma folha em branco. O professor lerá, então, as questões, e cada participante anotará a sua resposta, sem que o seu adversário ao lado a veja.

O professor dará a resposta correta e cada aluno marcará o seu ponto, caso tenha respondido corretamente. Em seguida, o professor apresentará a próxima questão, repetindo-se o processo. O jogo é composto por 10 a 15 perguntas.

Passa-se, então, à fase em que se verificará o número de pontos feitos por cada equipe. Até então, não se sabe qual foi a equipe vencedora, pois apenas os alunos, individualmente, sabem quantas questões acertaram. Mesmo havendo comemoração individual dos alunos em cada questão acertada, é muito difícil controlar o número de pontos da equipe, pois todos, nesse momento da competição, estão preocupados em responder corretamente às suas questões.

O professor pedirá que os membros de uma mesma equipe fiquem em pé (estes estão espalhados em diferentes duplas), e cada aluno dirá o número de questões acertadas. Não existe possibilidade de um aluno se enganar, dizendo um número diferente de acertos, porque uma das funções do seu adversário é verificar as respostas do companheiro de dupla e controlar o número de questões acertadas por ele. Os pontos são somados, e a equipe vencedora recebe o seu prêmio.

90 Tudo ou nada

Esta é uma atividade de recapitulação muito interessante e que motiva de forma intensa cada um dos seus participantes. Por envolver muita responsabilidade na resposta de cada aluno, com certeza "mexerá" com os nervos de quem estiver respondendo às perguntas individualmente.

O professor deverá dividir a sua classe em diversas equipes (de aproximadamente cinco alunos). Ele terá uma lista de questões fechadas (falso/verdadeiro, múltipla escolha ou perguntas.

O professor sorteia uma equipe para começar o jogo. A equipe sorteada escolhe um aluno para ir à frente responder a uma questão fechada feita pelo professor. O aluno escreve a sua resposta e a entrega ao professor, que verificará se está certa ou errada. Acertando ou errando, o participante retorna à sua equipe, e um colega irá substituí-lo. Acertando a questão, o aluno ganhará, por exemplo, 10 pontos para a sua equipe.

Se o primeiro representante respondeu corretamente, o segundo responderá a duas questões formuladas pelo professor. Se respondê-las corretamente, receberá o dobro do valor, ou seja, 20 pontos. Mas se errar uma ou as duas questões, a equipe voltará a ter zero pontos e passará para um novo representante da equipe, que terá de responder a uma pergunta apenas (começa-se tudo de novo para aquela equipe). Se o segundo representante acertou as duas questões e recebeu 20 pontos, o terceiro será chamado à frente e terá de responder a três perguntas. Se acertar, receberá 30 pontos, mas se errar qualquer uma das três, a sua equipe voltará a ter zero pontos, anulando os pontos já obtidos pelos colegas.

Quando todos os membros daquela equipe tiverem ido à frente para responder às questões, passa-se para outra equipe. Quando os representantes de todas as equipes tiverem respondido às questões, volta-se para a primeira equipe.

Com o andamento da técnica, cada equipe estará numa situação diferente. Por exemplo, o representante da equipe A irá responder a três questões, o da equipe B, a quatro questões, e o da equipe C, a uma questão, tudo isso dependendo dos resultados anteriores de cada equipe.

- *Cautela:* Como esta atividade mexe muito com os nervos de cada participante, por causa de sua grande responsabilidade, o professor terá de selecionar muito bem as perguntas para não desestimular as equipes retornando todas elas constantemente a zero por causa de algum erro dos alunos. Portanto, é necessário habilidade do professor para manter um clima de bom envolvimento e interesse por parte de todos os alunos durante esta dinâmica de recapitulação.

91 Pergunte você mesmo

Esta técnica tem a finalidade de verificar o nível de aprendizado por parte dos alunos.

O professor divide a turma em grupos (de preferência, no máximo cinco alunos, para que haja uma participação maior entre todos os membros do grupo). Cada grupo recebe a tarefa de preparar dez perguntas sobre o assunto estudado na última série de aulas.

O professor sorteia um aluno para que este faça uma das suas perguntas para qualquer participante de outro grupo.

Se o participante escolhido responder corretamente à pergunta (e quem julga se a questão está certa ou errada é o próprio professor), o grupo desse aluno ganha o ponto e tem o direito de fazer a pergunta seguinte.

Se a pergunta não for respondida corretamente, ela é repetida a um membro de outro grupo.

Se depois de três tentativas a pergunta não for respondida com acerto, então o próprio grupo dará a resposta e ganhará o ponto, continuando com o direito de fazer perguntas.

A atividade termina quando todas as questões propostas pelo grupo forem concluídas.

Ao término das questões, o professor dará o resultado dos pontos de cada grupo e premiará (de acordo com as suas possibilidades) o grupo que tiver obtido o maior número de pontos.

- *Cautela:* A tendência em uma atividade como esta é haver perguntas muito difíceis. Antes do início da atividade, o professor terá de examinar as perguntas feitas pelos alunos para que não saiam do nível desejado, diante do assunto que foi ensinado em aula.

92 Atingindo o coração

Depois de uma série de aulas sobre determinado tema, é muito importante que o professor empregue um tempo com os seus alunos recordando o que foi ensinado e quais foram as implicações na vida dos alunos. Muitas das atividades de recapitulação propostas neste livro estão relacionadas ao que eles aprenderam cognitivamente, mas o objetivo desta recapitulação específica é o que eles colocaram em prática em suas vidas.

O professor deverá fazer um grande círculo com as carteiras para que os alunos, olhando uns para os outros, possam compartilhar o que se tornou real para eles depois da série de estudos.

O professor colocará vários cartões pregados com fita crepe no quadro-negro.

Na frente de todos os cartões poderá estar escrito o tema da série.

No verso, o professor poderá escrever algumas perguntas que os alunos deverão responder.

- *Exemplos de perguntas:*
  - Cite alguma coisa que você colocou em prática como resultado desta série de estudos.
  - O que você ainda tem dificuldade para colocar em prática?
  - Relembre um texto bíblico que chamou a sua atenção em relação ao assunto e por quê.
  - Escreva o nome de uma pessoa que tem sido um exemplo na vivência destes ensinos.
  - Resuma uma lição aprendida nesta série.
  - Compartilhe um pedido de oração específico com relação ao que foi estudado neste período.

O aluno não sabe o que está escrito no papel que ele irá pegar. Mas terá de compartilhar o que estiver escrito ali.

É uma excelente oportunidade para verificar o que foi estudado e como aqueles ensinos têm sido praticados pelos alunos.

93 Esportes de revisão

- *Material necessário:* Perguntas de revisão preparadas pelo professor (procure equilibrar as perguntas em termos de dificuldade); quadro-negro ou quadro branco com desenho da modalidade (esporte) escolhida; prêmios (opcional).

- *Procedimento:* Com um pouco de criatividade, quase qualquer esporte pode ser transformado num jogo de revisão. Basta adaptar as regras para envolver a maior parte da classe. Em cada caso, o professor deve dividir a turma em dois times e desenhar a quadra da modalidade escolhida no quadro-negro ou numa transparência. Os jogadores dos dois times devem ser desenhados na quadra também, com "X" e "O" representando cada jogador em posições de ataque e defesa. Veja o exemplo a seguir, de um campo de futebol:

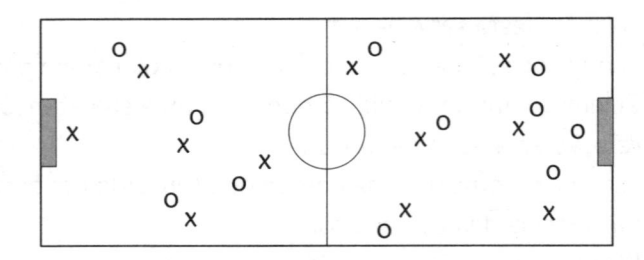

O professor decide qual time começa com a bola, ou pode lançar uma pergunta eliminatória (o time que responder primeiro recebe a bola). O professor também deve esclarecer as regras do jogo, especialmente o número de perguntas (passes) necessárias antes de o time poder chutar a gol.

Por exemplo, no futebol, pode-se estabelecer a regra de três passes (perguntas) acertados para entregar a "bola" no pé do centroavante, e uma última pergunta como "chute" a gol. No vôlei, seriam duas perguntas (levantamentos) até a "cortada" (terceira pergunta) para marcar o ponto.

Se o time errar em qualquer uma das perguntas, a bola passa imediatamente para a oposição, que inicia seu avanço em direção ao outro gol.

Depois do chute, a defesa também tem a chance de se proteger, respondendo a outra pergunta. Se acertar, conseguiu defender e mantém a posse da bola, avançando agora para o gol contrário. Se errar na defesa, conta como gol (ou ponto) para o time que chutou.

Adapte as regras conforme a modalidade predileta da turma:

- Futebol
- Vôlei
- Basquete
- Tênis

Vence, obviamente, o time que estiver ganhando quando o tempo terminar.

94 Brasão[21]

Assim como um "brasão familiar" resume algumas características e outros dados sobre uma família, o "brasão" no ensino serve para resumir o que o aluno aprendeu numa aula ou num semestre.

Cada aluno deve desenhar numa folha de papel um escudo que servirá como brasão. Deve ser dividido em quatro partes, com uma linha vertical e uma horizontal formando cruz. Em cada quadrado o aluno deve colocar figuras, desenhos e outros símbolos que representem o que ele percebeu como os destaques da aula.

Depois de todos terem completado seus brasões, devem mostrá-los e explicar o significado de cada detalhe. O professor pode guardar os melhores ou fazer uma exibição de todos em um dia especial.

95 Avaliação/provas

A forma clássica de se fazer recapitulação de uma matéria é por meio de avaliações e provas. Infelizmente, a maioria dos professores não explora esta técnica excelente da melhor forma. Por exemplo, muitas vezes o professor faz a correção da prova muito tempo depois da aula, sem devolvê-la e sem mostrar os erros do aluno. O ideal em termos do uso da prova como forma de recapitulação é que os próprios alunos a corrijam logo depois de fazê-la e consertem seus erros.

A criatividade na elaboração de provas e exames também despertará uma aprendizagem melhor pelos alunos. A seguir, listamos algumas ideias para variar o tipo de avaliação ou prova dada pelo professor:

- Entrevista pessoal (prova oral)
- Apresentação pelo aluno
- Recitação
- Testemunho pessoal (sobre aprendizagem no semestre)
- Palavras cruzadas
- Associação (relacionar conceitos e definições)
- Linha de tempo
- O que está errado? (Corrigir a história)
- Verdadeiro/falso
- Ensaio
- Preencher o espaço
- Estudo de caso (problema/solução)

- Paráfrase de texto
- Exame "livro aberto"

96 Preparar uma prova

Muitos professores têm grande empenho ao elaborar uma prova apropriada que realmente cubra a matéria. Mas por que não pedir que os próprios alunos preparem a prova? Este exercício força o aluno a lidar com todo o conteúdo, e de forma criativa. Eles devem preparar a prova com gabarito. Alguns professores têm usado esta tarefa no lugar de um exame final, pois acaba produzindo o efeito desejado — uma boa recapitulação de toda a matéria.

97 Agora é a sua vez

Esta técnica funciona bem quando os alunos acham que já sabem tudo sobre uma história, e precisam ser desafiados a considerar novos ângulos e novas lições.

O professor deve explicar que a história será contada com revezamento. Ele começa relatando a história da lição bíblica com muitos detalhes e imaginação "santificada", mas de repente para na descrição e dá um tapinha no ombro de algum membro da classe. Essa segunda pessoa tem a responsabilidade de continuar a história exatamente de onde o professor parou, acrescentando mais detalhes e avançando até o ponto em que também para e toca em outra pessoa, que por sua vez faz o mesmo. Assim continua até terminar a história.

No final, o professor deve corrigir detalhes errados e/ou dirigir uma discussão sobre os acontecimentos e princípios que a história ensina.

Disciplina em classe

Ideias para controle

Este volume não ficaria completo sem pelo menos algumas sugestões de ideias para manter a disciplina da turma. Reconhecemos que essa é tarefa que cabe principalmente aos pais. Também reconhecemos que a maioria dos pais tem falhado em sua tarefa de criar filhos disciplinados e obedientes. Muitos professores atualmente merecem uma medalha pela perseverança e coragem que têm exibido diante de classes grandes demais, sem recursos didáticos, sem muito apoio nos lares. Oferecemos algumas sugestões que podem ser ferramentas ao professor na tentativa de manter ordem e um ambiente propício para a aprendizagem em sua classe.

98 Mudança de ambiente

Uma das técnicas didáticas naturais de Jesus foi a mudança do contexto de aprendizagem. O ministério de Jesus foi um ministério "peripatético", ou seja, itinerante (do verbo grego *peripatéo*, "andar").

Para a maioria dos professores hoje, não é possível ter um ministério "peripatético". Mas a maioria pode (e deve) experimentar duas maneiras de estimular a aprendizagem que também ajudam a manter a disciplina, pela mudança do contexto da aula:

1. *Disposição da classe:* A simples mudança do arranjo de uma sala de aula pode ser suficiente para despertar uma nova curiosidade nos alunos, especialmente quando a mudança está associada a um novo método de ensino. Virar todas as cadeiras para trás; fazer um semicírculo; colocar a mesa do professor no centro da sala. São maneiras fáceis de injetar novo ânimo na turma e escapar à monotonia da aula.
2. *Saídas especiais:* Temos usado este método no meio de semestre, quando nem o professor e muito menos os alunos aguentam ficar "presos" em uma sala de aula. Se possível, peça que cada aluno pegue sua cadeira ou carteira e procure um lugar mais perto da natureza (mais distante de distrações, como outras pessoas curiosas!). Nossos alunos têm vibrado com essa simples mudança, que traz um gosto especial para a aula.

99 Assentos designados

Embora seja uma "técnica de disciplina" antiga, designar o lugar onde cada aluno vai sentar confere ao professor maior controle sobre a turma. Alunos que sempre "bagunçam" com os mesmos colegas devem ser separados; alunos com dificuldades de aprendizagem podem sentar ao lado de outros com mais habilidade.

O professor não precisa sempre escolher os assentos, mas pode ser criativo na maneira de designá-los. Por exemplo, pode colocar os nomes de todos os alunos num vidro e tirá-los, um por um, conforme o lugar em que devem ficar.

Com turmas novas, o professor pode anotar o nome do aluno numa planilha que representa graficamente o arranjo das cadeiras na sala (junto com uma foto do aluno?) para facilitar a aprendizagem de seus nomes.

100 Oração pelos alunos

Talvez seja tão óbvio que às vezes esquecemos de orar pelos alunos, especialmente por aqueles que nos deixam acordados à noite! No primeiro ano de casamento, Carol Sue, esposa de David, lecionava numa escola pública em um bairro muito violento de uma grande cidade. Ela, recém-formada, no primeiro ano de ensino, recebeu a turma mais desajustada da escola, as "sobras" de todos os delinquentes das outras classes. Ela ficava tensa quase todos os dias quando ia para a escola. Das muitas "técnicas" de disciplina, a que mais "funcionou" foi a oração pelos alunos. A oração não foi somente particular — ela recrutou parentes, amigos, igrejas e outros para orar especificamente por seus alunos, nome por nome. E, é claro, as pessoas que oraram pelos alunos oraram também por ela. Deus transformou a vida de muitos deles e permitiu que Carol Sue sobrevivesse a uma situação extremamente difícil.

101 Outras ideias[22]

Alistamos aqui outras sugestões que podem ajudar o professor a manter a disciplina e o controle em sua classe:

- Estabelecer claramente as regras da sua classe no início do semestre;
- Usar ideias criativas para manter a turma sempre atenta!

- Evitar uma sala de aula desorganizada e bagunçada;
- Prescrever desafios específicos e atraentes aos alunos mais "espertos";
- Conceder expressões de afirmação individuais apropriadas;
- Procurar relacionar-se com os alunos fora da sala de aula;
- Recrutar o aluno problemático como "aliado" (ajudante), dando-lhe serviços dignos (mas sem "premiá-lo" pela desobediência);
- Escrever um bilhete de incentivo ou ligar para a casa de seu aluno;
- Premiar comportamentos adequados por intermédio de etiquetas, pequenas lembranças, pontos etc.;
- Reconhecer melhoras, mesmo que pequenas, nos alunos;
- Escrever ou ligar para os pais, informando-os sobre os problemas em classe;
- Nunca esquecer de que você é autoridade na vida dos alunos, não o "amigão" deles;
- Afastar do meio da turma o aluno que insiste em desobedecer;
- Lidar com problemas disciplinares individualmente, com firmeza e amor, sem envergonhar o aluno;
- Fazer silêncio ou voz baixa para aquietar a turma;
- Pedir a ajuda de um supervisor ou ajudante na sala para ficar ao lado do aluno difícil ou lidar com ele individualmente.

Notas

1 Provérbio oriental citado por Warren W. WIERSBE em *Preaching and Teaching with Imagination*, Grand Rapids: Baker Book House, 1994, p. 6.
2 PASCAL, Blaise, citado em *WIERSBE*, p. 88.
3 CHOUN, Robert Joseph Jr. *Choosing and Using Creative Methods*. Em: GANGEL, Kenneth O. e HENDRICKS, Howard G. (ed.). *The Christian Educator's Handbook on Teaching*, Victor Books, 1988, pp. 168-169.
4 TRIPP, Tedd. Sugerimos um livro excelente que lida com essa questão e é apropriado para professores e pais, *Pastoreando o coração da criança*. São José dos Campos: Fiel, 1998.
5 RICHARDS, Lawrence. Adaptado de *Creative Bible Teaching*. Chicago: Moody, 1970, pp. 69 ss.
6 Algumas ideias foram tiradas do manual de treinamento de professores *Teacher Training Trips*, por Peter N. REOCH. Clarks Summit, PA, 1979.
7 RICHARDS, pp. 102ss.
8 Muitas dessas ideias são adaptadas do livro *Preaching with Freshness*, por Bruce MAWHINNEY. Eugene, Oregon: Harvest House Publishers, 1991.

⁹ WIERSBE, Warren, p. 203.

¹⁰ Adaptado de material não publicado do Departamento de Pedagogia da Universidade de Cedarville, Cedarville, OH, EUA, 1980.

¹¹ LUTERO, Martinho, citado em WIERSBE, p. 158.

¹² LUCCOCK, Halford, idem., p. 87.

¹³ RICHARDS, p. 231.

¹⁴ RICHARDS, p. 235.

¹⁵ Uma ferramenta perfeita para esse exercício é: *Intercessão Mundial*, por Patrick Johnstone. Contagem, MG: AME Menor.

¹⁶ Para mais informação sobre tipos de fantoches, técnicas, montagem de palcos e cenários, elaboração de textos e oito pecinhas, veja o livreto *Fantoche Amigo*, por Vera BROCK. Atibaia: Redijo, 1988.

¹⁷ O *Ministério Caminhada Bíblica no Brasil* tem tirado o máximo proveito desse princípio para traçar a história do povo de Deus em ambos os Testamentos.

¹⁸ RICHARDS, p. 226.

¹⁹ HENDRICKS, Howard. Uma ótima ferramenta sobre o estudo bíblico indutivo é *Vivendo na Palavra*. São Paulo: Imprensa Batista Regular, 1999.

²⁰ Essas anotações são adaptadas da apostila não publicada *O uso do data-show*, por pr. Abmael Araújo Dias Filho, Seminário Bíblico Palavra da Vida.

²¹ REED, *Creative Bible Learning*, pp. 174-175.

²² Para mais sugestões sobre como manter a disciplina na sala de aula, veja o livreto *100 Ideias que Funcionam: Disciplina na Sala de Aula*, por Sharon R. BERRY, publicado pela *Association of Christian Schools International* e distribuído no Brasil pela *Pan American Christian Academy*, Rua Cássio de Campos Nogueira, 393, São Paulo, SP – 04829-310. Pedidos: (11) 5928-9655.

Apêndices

PANORAMA BÍBLICO
O Antigo Testamento
LIVROS HISTÓRICOS

Livro	Versículos-chave	Frase-chave	Verso
Gênesis	12.1-3	Começos	Em Gênesis tudo começou, E Abraão Deus abençoou.
Êxodo	19.4-6	Saindo do Egito	Com Êxodo vem redenção, E leis para santificação.
Levítico	20.7,8	Santidade	Como viver na presença de Deus? Levítico dá leis aos judeus.
Números	14.22,23	Andando no deserto	Em Números o povo anda, Por não crer no que Deus manda.
Deuteronômio	6.4,5	"Lembrem-se da aliança"	Deuteronômio diz aos judeus: "Lembrem-se da aliança com Deus".
Josué	1.8	Vitória	Em Josué a vitória vem, E cada tribo sua terra tem.
Juízes	21.25	Ciclos de falhas	Em Juízes o povo esqueceu a lei, E o homem se tornou seu próprio rei.
Rute	1.16	Amor fiel	Mas Rute mostra uma história bonita: Amor fiel de uma moabita.
1,2Samuel	1Sm 15.22	Reino estabelecido	Em Samuel o povo reclama, e Deus lhes dá dois reis de fama.
1,2Reis	1Rs 11.11	Reino dividido, reino cativo	Reis descrevem o reino dividido, E cada país, no exílio, cativo.

1,2 Crônicas	2Cr 7.14	Judá e o templo	Crônicas conta a mesma história, Enfatizando o templo e sua glória.
Esdras	1.3	Construindo o templo	Esdras fala em restauração: Primeiro o templo, depois a nação.
Neemias	8.9	Construindo o muro	O muro Neemias edificou, E a aliança com Deus renovou.
Ester	4.14	Providência de Deus	Ester revela o protetor, Que guarda o seu povo como Salvador.

LIVROS POÉTICOS

Livro	Versículos-chave	Frase-chave	Verso
Jó	42.5,6	Por que o justo sofre?	A dor em Jó dúvida produz, Até que de Deus surge a luz.
Salmos	19.14	Hinário de Israel	Os Salmos cantam meditações, Gratidão, louvor e lamentações.
Provérbios	1.7; 9.10	Sabedoria	Provérbios dá o segredo da alegria: "O temor do SENHOR" é a sabedoria.
Eclesiastes	12.13,14	O significado da vida	"Somente Deus transforma a vaidade", Eclesiastes afirma em verdade.
Cantares	8.7	Amor no casamento	O amor real, descrito em Cantares, Deve estar em todos os lares.

LIVROS PROFÉTICOS

Livro	Versículos-chave	Frase-chave	Verso
Isaías	40.1,20	Sofrimento do servo do SENHOR	Depois de dura condenação, Isaías vê grande salvação.
Jeremias	1.10	Rendição	Em Jeremias, rendição, É o recado de Deus à nação.
Lamentações	2.5,6	Destruição de Jerusalém	Lamentações chora pela cidade, Destruída por sua iniquidade.
Ezequiel	36.33-35	Exílio e restauração	Em Ezequiel, o povo exilado, Vai algum dia ser restaurado.
Daniel	4.34,35	Soberania de Deus	Daniel aponta ao Deus soberano, Regendo reis e tempo em seu plano.
Oseias	4.1	Lealdade de Deus	Oseias demonstra amor real, Por Israel, de um Deus leal.
Joel	2.11	O Dia do SENHOR	Como grilos e seca causam temor, Joel vê castigo no Dia do SENHOR.
Amós	4.12	Falsidade	Amós previne a calamidade, Mandada por Deus contra a falsidade.
Obadias	18	Julgamento contra Edom	Em Obadias o julgamento é dado: O fim de Edom está decretado.
Jonas	4.2	Compaixão para Nínive	Depois da primeira e segunda comissão, Jonas se curva à divina compaixão.

Miqueias	6.8	Equidade	Miqueias exorta a sua comunidade. À troca do mal por equidade.
Naum	3.5-7	Execução de Nínive	Naum proclama a execução, Nínive morre sem compaixão.
Habacuque	2.4	Vida pela fé	Habacuque ora em submissão, E prova pela fé que Deus tem razão.
Sofonias	1.14,15	O Dia do SENHOR	Em Sofonias, a condenação Termina em restauração.
Ageu	1.7,8	Construção do templo	A obra do templo começa de novo, Quando Ageu reprova seu povo.
Zacarias	9.9	O Messias e o templo	"Completem o templo para o Messias", É a mensagem de Zacarias.
Malaquias	4.5,6	Interrogação	De Malaquias vem interrogação, Pois culpa de novo tem a nação.

O Novo Testamento

LIVROS HISTÓRICOS

Livro	Versículos-chave	Frase-chave	Verso
Mateus	28.18-20	Cristo, o rei	O Messias em Mateus é rejeitado, Rei sem o reino, como foi profetizado.
Marcos	10.45	Cristo, o servo, Filho de Deus	Cristo em Marcos é o Servo humilhado, Que deu a vida para eu ser libertado.

Lucas	19.10	Cristo, o Filho do homem	Em Lucas, Jesus é o Filho nascido, Que busca e salva o homem perdido.
João	20.31	Cristo, o Cordeiro de Deus	João aponta o Cordeiro de Deus, Que tira o pecado de gentios e judeus.
Atos	1.8	Expansão do evangelho	Em Atos o Espírito espalha salvação, Dos judeus aos povos de toda nação.

EPÍSTOLAS PAULINAS

Livro	Versículos-chave	Frase-chave	Verso
Romanos	12.1,2	Justificação pela fé	Estando eu perdido no pecado, Romanos me mostra como ser justificado.
1Coríntios	3.16,17	Divisões na igreja	A primeira aos Coríntios traz admoestação Contra impureza, desordem e divisão.
2Coríntios	3.5,6	A defesa de Paulo	A segunda aos Coríntios defende a posição, Do apóstolo escolhido após a ressurreição.
Gálatas	5.1	Liberdade em Cristo	Gálatas proclama liberdade do pecado. Pela graça, nunca lei, como outros têm pensado.

Efésios	4.1	Andando em Cristo	"Andar de modo digno da nossa vocação": Efésios exalta nossa alta posição.
Filipenses	4.4	Alegria	Filipenses louva a fé que nos faz regozijar, Mas exige humildade para com todos demonstrar.
Colossenses	3.1,2	A primazia de Cristo	Colossenses mostra Cristo na sua primazia, E combate o começo duma nova heresia.
1Tessalonicenses	4.1	Crescendo na vida cristã	Os tessalonicenses, na epístola primeira, São motivados a mostrar santidade verdadeira.
2Tessalonicenses	2.1,2	O Dia do SENHOR	Tessalonicenses, a segunda carta escrita, O Dia do SENHOR e consequências explica.
1Timóteo	3.15	Procedimento na casa do SENHOR	A primeira a Timóteo exige ordem boa, Na igreja e nos ministros, para nada ser à toa.
2Timóteo	1.8	A despedida de Paulo	A segunda a Timóteo dá o grito da guerra: "Proclama o Cristo em toda a terra".
Tito	1.5	Ordem na igreja	A de Tito foi escrita para dar às igrejas novas, Um padrão de bons pastores, sã doutrina e boas obras.

| Filemom | 16,17 | Perdão | Filemom perdeu um inútil escravo, Mas todos ganharam quando ele foi salvo. |

EPÍSTOLAS GERAIS E APOCALIPSE

Livro	Versículos-chave	Frase-chave	Verso
Hebreus	12.1,2	Supremacia de Cristo	Cristo é supremo no livro de Hebreus, Como rei, sacerdote e Filho de Deus.
Tiago	2.17	Provas de uma fé genuína	Tiago descreve uma fé genuína, Que ouve e age, não fica na surdina.
1Pedro	4.12,13	Sofrimento e consolação	A primeira de Pedro consola os crentes, Que sofrem por Cristo, mesmo inocentes.
2Pedro	3.18	Combate aos falsos mestres	A segunda de Pedro chama a atenção: Os falsos mestres merecem perdição.
1João	1.3,4	Comunhão e confiança	Amor, segurança e comunhão, São os temas da primeira de João.
2João	9,10	Verdade e falsos mestres	O amor verdadeiro, na segunda de João, Rejeita a mentira, abraça o irmão.
3João	11	Hospitalidade	A terceira de João condena o egoísmo, E louva a bondade e o altruísmo.

| Judas | 3 | Batalha pela fé | Em Judas a batalha pela fé preciosa, é dos crentes com doutrina valiosa. |
| Apocalipse | 1.19 | Consumação | Apocalipse traz julgamento e salvação, e tudo renovado numa nova criação. |

PERGUNTAS E RESPOSTAS
sobre a vida eterna

Você sabia que Deus o ama e quer dar a você uma vida abundante e eterna?

- **Como posso saber que Deus me ama?**
  A Bíblia diz:
  > Porque Deus amou ao mundo de tal maneira que deu o seu Filho unigênito, para que todo o que nele crê não pereça, mas tenha a vida eterna (Jo 3.16).

  E Jesus falou:
  > Eu vim para que tenham vida e a tenham em abundância (Jo 10.10b).

- **Por que a maioria das pessoas não experimenta esse amor e vida abundante?**
  A raça humana está separada de Deus porque todo homem é pecador e merece a morte eterna.
  > Mas as vossas iniquidades fazem separação entre vós e o vosso Deus; e os vossos pecados encobrem o seu rosto de vós, para que não vos ouça (Is 59.2).

  > [...] o salário do pecado é a morte (Rm 6.23).

- **Qual é a solução?**
  Já que é impossível livrarmo-nos do pecado por nosso próprio esforço, Jesus veio ao mundo "pagar o preço do pecado" por nós. O sangue de Cristo derramado na cruz foi o preço pago pelos nossos pecados. Agora podemos nos achegar a Deus através de Cristo, pois com a sua morte e ressurreição ele derrubou a barreira do pecado.

[...] *Cristo morreu pelos nossos pecados* [...] *ressuscitou ao terceiro dia* (1Co 15.3,4).

Respondeu-lhe Jesus: Eu sou o caminho, e a verdade, e a vida; ninguém vem ao Pai senão por mim (Jo 14.6).

- **O que eu preciso fazer?**

A salvação é um presente, e presente é dado de graça! Não se paga nada por ele!
A Bíblia diz:

Porque pela graça sois salvos, mediante a fé; e isto não vem de vós; é dom de Deus; não de obras, para que ninguém se glorie (Ef 2.8,9).

Receba o Senhor Jesus Cristo mediante o arrependimento e a fé. Ou seja, reconheça que você é pecador e que está separado de Deus, e admita que só Deus pode resolver o problema do seu pecado. Confie em Jesus como seu Salvador pessoal, expressando que depende dele para o perdão dos pecados.

- **Quando vou poder receber a salvação?**

Agora!

[...] *eis, agora, o tempo sobremodo oportuno, eis, agora, o dia da salvação* (2Co 6.2b).

Uma oração sugerida:

Senhor Jesus, obrigado porque tu me amas apesar de eu ser um pecador. Creio agora que morreste por mim e que ressuscitaste dos mortos. Perdoa, por favor, os meus pecados. Eu confio em ti como meu Salvador e Senhor. Ajuda-me a deixar os meus pecados e viver para ti. Obrigado pela nova vida que me deste.

- Agora, depois de receber a Cristo, qual é a promessa de Deus para mim?

    Aquele que tem o Filho tem a vida; aquele que não tem o Filho de Deus não tem a vida. Estas coisas vos escrevi, a fim de saberdes que tendes a vida eterna, a vós outros que credes em o nome do Filho de Deus (1Jo 5.12,13).

De acordo com a Bíblia, você recebeu a vida eterna no instante em que aceitou a Cristo como seu Salvador pessoal. Não confie em suas emoções, porque elas mudarão. Quando tiver dúvidas, releia as passagens bíblicas escritas aqui. Você pode dizer com confiança: "Recebi a Cristo como meu Salvador pessoal. Baseado na autoridade da Palavra de Deus, agora tenho a vida eterna."

- Data da minha decisão: ____ / ____ / ____

Sua opinião é importante para nós. Por gentileza, envie seus comentários pelo e-mail editorial@hagnos.com.br

UNITED PRESS
um selo editorial hagnos

Visite nosso site: www.hagnos.com.br

Esta obra foi impressa na Imprensa da Fé.
São Paulo, Brasil.
Primavera de 2020.